Défi mathématique

Manuel de l'élève

2e cycle 1

Michel Lyons et Robert Lyons

Chenelière/McGraw-Hill
MONTRÉAL • TORONTO

Défi mathématique
Mathématique, 2e cycle du primaire
Manuel de l'élève 1

Michel Lyons et Robert Lyons

© 2003 Les Éditions de la Chenelière inc.

Éditrice : Maryse Bérubé
Coordination : Denis Fallu
Révision linguistique : Marie Chalouh
Correction d'épreuves : Ginette Gratton
Illustrations : Norman Lavoie, Sylvie Nadon, Isabelle Pilon
   et Yvon Roy
Conception graphique, infographie et couverture : Norman Lavoie

Remerciements

Cette édition de *Défi mathématique* résulte de la collaboration de nombreuses personnes qui ont mis en commun leur compétence. Nous ne pouvons les nommer toutes ici, mais nous tenons à leur exprimer notre reconnaissance face à leur engagement. Parmi elles, nous désirons toutefois mentionner Ginette Poitras, Serge Girard et Michel Solis qui, depuis près de 20 ans, nous ont appuyés sans relâche.

Enfin, merci à Françoise Loranger, Manon Beauregard et Ginette Beaudry, conseillers pédagogiques, et Robert Rousseau, consultant, qui ont bien voulu lire et commenter la présente édition de *Défi mathématique*.

Michel Lyons et Robert Lyons

Chenelière/McGraw-Hill
7001, boul. Saint-Laurent
Montréal (Québec)
Canada H2S 3E3
Téléphone : (514) 273-1066
Télécopieur : (514) 276-0324
chene@dlcmcgrawhill.ca

ISBN 2-7651-0275-9

Dépôt légal : 3e trimestre 2003
Bibliothèque nationale du Québec
Bibliothèque nationale du Canada

Imprimé au Canada

1 2 3 4 5   ITIB   07 06 05 04 03

Nous reconnaissons l'aide financière du gouvernement du Canada par l'entremise du Programme d'aide au développement de l'industrie de l'édition (PADIÉ) pour nos activités d'édition.

Gouvernement du Québec – Programme de crédit d'impôt pour l'édition de livres – Gestion SODEC.

Table des matières

Un défi pour toi

C'est l'heure du souper.
Un problème se pose...
Qu'est-ce qu'on mange ?

Pourquoi pas une omelette ?

Nous avons tout ce qu'il faut !

Caboche imagine plusieurs possibilités.

J'ajoute 250 mL de lait...

Troublefête rassemble tous les ingrédients nécessaires. Il réunit plats et ustensiles.

D3D4 suit attentivement la recette et mesure toutes les quantités avec précision.

Et Domino qui s'en promet !

Quand tu résous un problème...

Tout comme Caboche, tu peux imaginer des pistes de solution. La logique de Troublefête est une force que tu possèdes aussi et qui peut grandir.

En apprenant à être aussi efficace que D3D4, tu deviendras l'as des as de la résolution de problèmes. Et comme Domino, tu y prendras sûrement beaucoup de plaisir !

Nous te souhaitons une belle année de découvertes en leur compagnie.

Michel et Robert

La logique est la science de l'argumentation objective.

Pour bien communiquer ses idées en mathématiques, il faut s'expliquer clairement. Il faut aussi bien écouter les autres.

Je m'appelle Domino. J'espère que tu t'amuseras autant que moi !

Je m'appelle Troublefête. Dans ce module, tu trouveras des jeux et des énigmes à mon goût. J'espère que tu sauras déjouer les pièges comme moi !

Je m'appelle D3D4. J'espère que tu seras aussi efficace que moi !

Indices, déductions...

Troublefête adore les casse-tête logiques.
Il aime aussi les choses bien rangées
et logiquement organisées.

... et conclusions logiques

L'herbier de Troublefête était très bien organisé.
Tous les spécimens avaient été classés de façon logique.

a) Retrouve la place de chaque
carte dans le tableau.

b) Explique ton mode
de classement.

Pareil, pas pareil

Voici un jeu d'énigmes logiques.
Montre tes talents de détective !

Matériel nécessaire

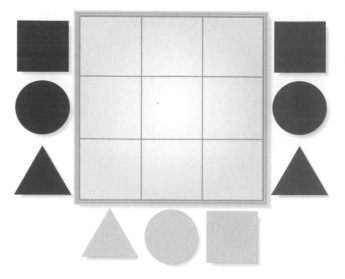

But du jeu

Placer toutes les pièces dans la
grille. Chaque case ne doit
contenir qu'une seule pièce.

Consignes

Des icônes t'indiquent comment
placer tes pièces dans la grille.

Exemple :

 Une pièce de
chaque couleur
dans chaque
rangée.

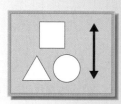 Une pièce de
chaque forme dans
chaque colonne.

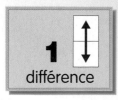 Deux pièces voisines
dans une colonne
montrent une seule
différence.

Indices

Une grille de départ est fournie.
Des pièces sont déjà placées. Des
indices de forme et de couleur
peuvent être donnés. Le signe ✗
veut dire « non ».

Code solution

Résous d'abord l'énigme en
plaçant tes pièces. Note ensuite
tes réponses. Utilise une lettre qui
indique la couleur :

R pour rouge

B pour bleu

J pour jaune

Exemple

- Quatre pièces sont données.
- Tu peux déduire la couleur du cercle dessiné (consigne de couleur).
- La pièce qui n'est pas rouge doit respecter la consigne de forme.
- Place le troisième cercle.
- La consigne de couleur permet de placer les pièces qui restent.

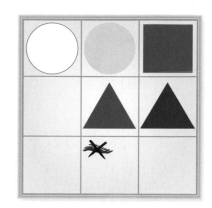

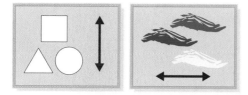

 Résous maintenant ces énigmes. Les consignes de forme et de couleur sont les mêmes que dans l'exemple.

a)

b)

c)

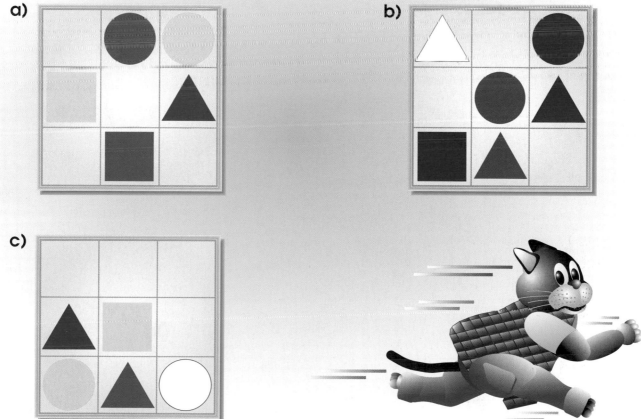

1) Complète les grilles à l'aide des indices.
Il faut respecter les deux consignes données au centre.

a)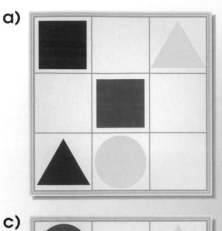

Consignes

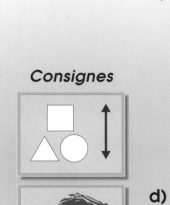

b)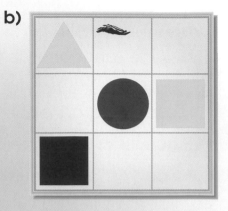

c)

d)

2) Voici d'autres énigmes et deux nouvelles consignes.

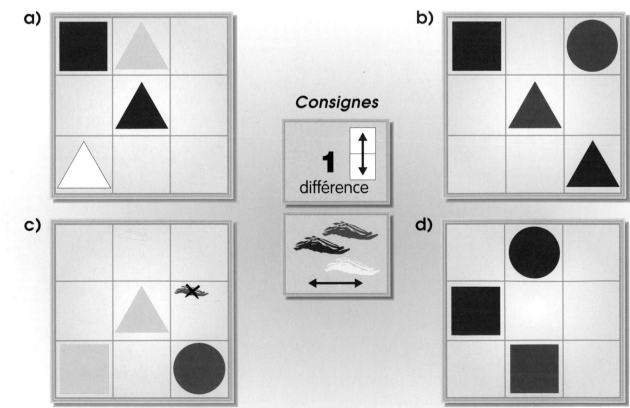

a)

Consignes

1 différence

b)

c)

d)

LOGIQUE

Fiche complémentaire *Logique* 3

3 Voici d'autres énigmes et deux nouvelles consignes.

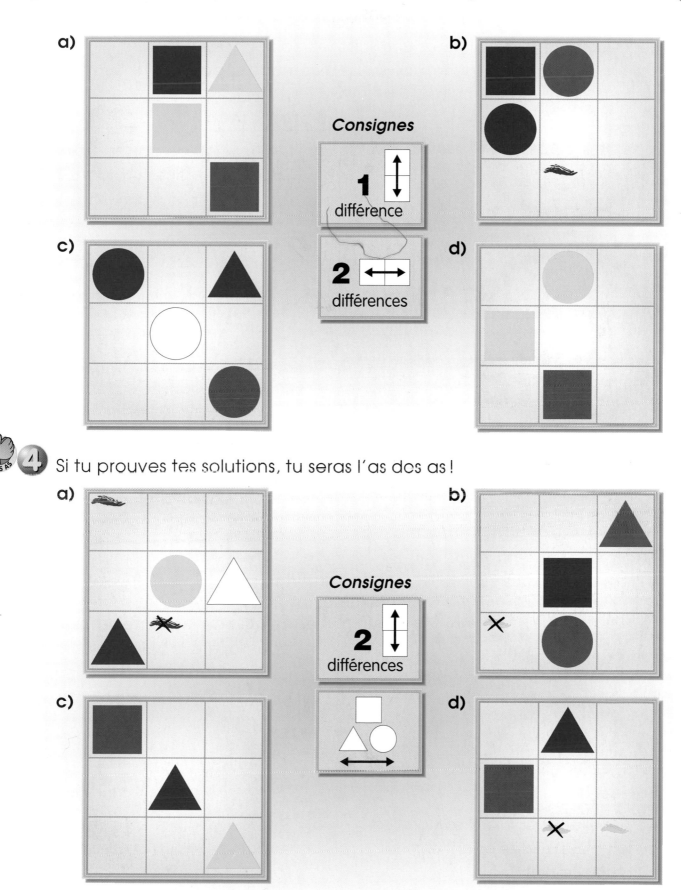

Consignes

a)

b)

c)

1 ↕ différence

2 ↔ différences

d)

4 Si tu prouves tes solutions, tu seras l'as des as !

a)

b)

Consignes

2 ↕ différences

☐
△ ○
↔

c)

d)

Fiche complémentaire *Logique* 3

Solitaire : Le pont

Un pont est composé d'une ou de plusieurs cartes tirées de la fosse. Le pont relie par une suite les deux cartes isolées. Dans chaque suite, une seule différence sépare chaque carte de sa voisine.

Déroulement

a) Mêle un jeu de cartes ordinaire. Dispose 12 cartes (10 dans la fosse et 2 en dehors) dans l'ordre que tu préfères.

b) Avec les cartes de la fosse, établis un pont. Ce pont reliera les deux cartes placées en dehors.

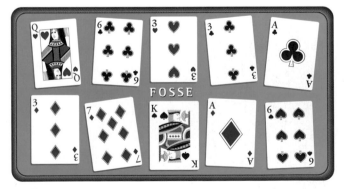

c) Remplace les cartes utilisées pour faire le pont.
Cherche un autre pont, le plus long possible.

But du jeu

Accumuler le plus grand nombre possible de cartes ayant servi à faire des ponts.

d) Si aucun pont n'est possible, remplace les 10 cartes de la fosse.

1 Place toutes les lettres dans une grille comme celle illustrée.
Prévois toutes les possibilités.

B	E	A
D	C	F

a) **A** est en haut.

B est au milieu, mais n'est pas voisin de **A**.

A	E	D
F	B	C

C est à droite.

D est à droite.

E n'est pas sous **A**.

F est plus bas que **D**.

b) **A** n'est pas entre deux coins.

B n'est pas à droite de **F**.

C est entre **D** et **F**.

D n'est pas plus haut que **A**.

E touche à cinq lettres.

F ne touche pas à **B**.

c) **A** n'est pas voisin de **B**.

B est dans un coin, en haut.

B	E	F
C	A	D

C n'est pas plus bas que **D**.

D est à droite de **B**, sans y toucher.

E a trois voisins.

F est à droite.

d) **A** n'est pas voisin de **C**.

B est à droite, mais n'est pas voisin de **E**.

C ne touche pas à **F**.

D n'est pas voisin de **E**.

D	A	B
C	E	F

E n'est pas en haut ni dans un coin.

F ne touche pas à **D**.

1 Place les neuf lettres dans une grille carrée de neuf cases.
Prévois toutes les possibilités.

a) **A** est sous **F**.

B est dans un coin.

C n'est pas voisin de **D**.

D est entre **B** et **G**.

E touche à **H**.

F touche à **C**.

G est en haut, à droite.

H ne touche pas à **I**.

I est immédiatement au-dessus de **B**.

b) **A**, **E** et **I** sont voisins de **C**.

B n'est pas sous **H**.

C n'est pas en haut ni en bas.

D est à gauche de **A**.

E est au-dessus de **C** et de **I**.

F touche à **C**.

G touche à **A** et à **E**.

H est voisin de **C**.

I touche à **A** et à **D**.

c) **A** n'est pas en haut.

B est dans un coin, en haut.

C n'est pas voisin de **G**.

D est entre **B** et **A**.

E est entre **A** et **I**.

F est immédiatement sous **B**.

G n'est pas au-dessus de **H**.

H touche à **E**.

I est à gauche de **F**.

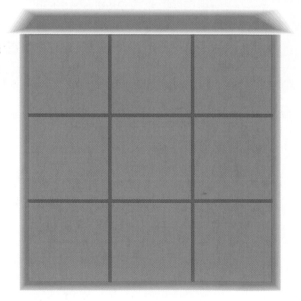

Place les neuf lettres dans une grille carrée de neuf cases. Prévois toutes les possibilités.

a) A est au-dessus de **G** et de **D**.

B est à gauche de **I**.

C n'est pas voisin de **H**.

D n'est pas sous **G**.

E touche aux autres voyelles.

F ne touche pas à **H**.

G ne touche pas à **B**.

H est entre deux consonnes.

I touche à huit lettres.

b) A est entre **E** et **H**.

B n'est pas voisin de **F**.

C est immédiatement au-dessus de **B**.

D est à droite de **C**.

E n'est pas en haut.

F est entre **B** et **H**.

G ne touche pas à **E**.

H n'est pas voisin de **F**.

I touche à **B** et à **C**.

c) A est sous **E**.

B n'est pas à gauche de **G**.

C est voisin de **G** et de **H**.

D est au-dessus de **I**.

E est à droite.

F n'est pas plus haut que **H**.

G est en haut.

H est sous **E**.

I touche à **F**.

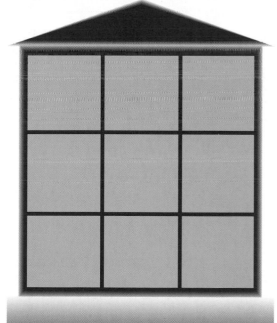

Place les neuf lettres dans une grille carrée de neuf cases.
Prévois toutes les possibilités.

a)
A est immédiatement au-dessus de B.

B est entre F et I.

C est dans un coin.

D est à gauche.

E est à droite.

F est en bas.

G est en haut.

H est entre D et F.

I est en bas.

b)
A est au centre si C est voisin de D.

B est entre E et F.

C est au-dessus de G.

D est au centre si H est à gauche.

E n'est pas à gauche.

F est à droite.

G est plus haut que F.

H est dans un coin.

I est au-dessus de A.

c)
A est voisin de F.

B est à gauche.

C est entre H et I.

D est au-dessus de I.

E est dans un coin.

F est à droite de D.

G touche à I.

H est au-dessus de E.

I est au-dessus de B.

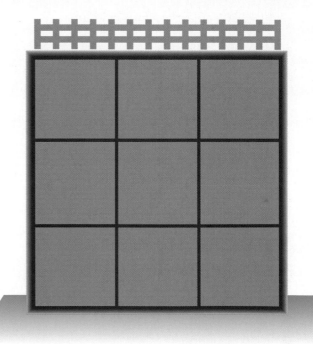

Dans ces grilles logiques tu trouveras peut-être des données contradictoires.

Si c'est le cas, modifie un seul indice pour obtenir une grille à solution unique.

a)

A est entre **D** et **H**.

B est sous **H**.

C est à la même hauteur que **B**.

D est à droite.

E touche à **F**.

F a seulement trois voisins.

G est entre **H** et **I**.

H n'est pas voisin de **A**.

I est au-dessous de **D**.

b)

A n'a que deux voisins.

B n'a que trois voisins.

C a quatre voisins.

D est le voisin de droite de **A**.

E est le voisin de gauche de **B**.

F n'a que deux voisins.

G n'a que trois voisins.

H est voisin de **G**.

I est plus bas que **F**, mais plus haut que **B**.

2 Cette super-grille contient une donnée inutile. Laquelle ?

A est voisin d'un coin.

B est aussi haut que **M**.

C n'a rien à sa gauche.

D est voisin de **M**.

E est entre ses voisins **K** et **L**.

F est sous **L**.

G touche à **E**.

H n'a rien sous lui ni à sa droite.

I est à l'extrême droite, sous **F**.

J est sous **A**.

K touche à **P**.

L est dans un coin.

M est voisin de **H**.

N n'a rien au-dessus de lui.

O est le voisin de droite de **J**.

P est voisin de **F**.

Une leçon de modestie...

Il était une fois un roi très prétentieux.
Il méprisait ses sujets, surtout les plus faibles.
Le roi était aussi très sévère avec
ses domestiques.

> Allez !
> Incapable ! Ôte-toi
> de mon chemin...

Un jour, une vieille paysanne lui
apporte en cadeau un jeu
d'échecs.

> Ce jeu a été créé
> par un sage conseiller
> d'un royaume lointain.

> Penses-tu que je
> vais te récompenser pour un
> aussi modeste présent ?

Sans ajouter une seule parole, la vieille
dame sourit et quitte les lieux.

... pour sa majesté !

Très vite charmé par le jeu d'échecs,
le roi passe ses journées entières à jouer.
Mais, pour son plus grand malheur,
il n'arrive jamais à gagner...

Après de nombreuses défaites, il
reçoit de nouveau la visite de la
vieille paysanne.

Vous jouez comme vous régnez, Majesté !

Apprenez à apprécier vos plus modestes sujets, et votre pouvoir grandira.

Le roi est ébranlé par cette leçon de
modestie. Reconnaissant, il se jure de ne
plus jamais mépriser les gens de son royaume.

1 Des erreurs se sont glissées dans cette page.
Ouvre l'oeil pour les repérer. Note lesquelles.

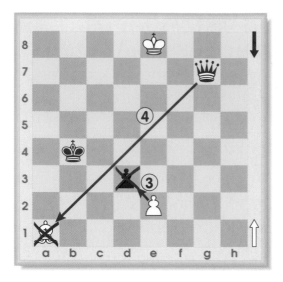

1 Le pion blanc peut jouer en **e5**.

2 Le pion noir peut capturer le pion placé en **g5**.

3 Le pion blanc peut capturer le pion noir.

4 La dame peut capturer le fou.

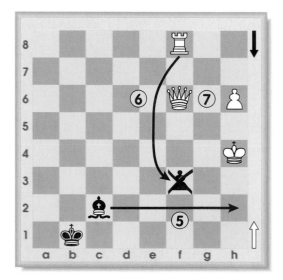

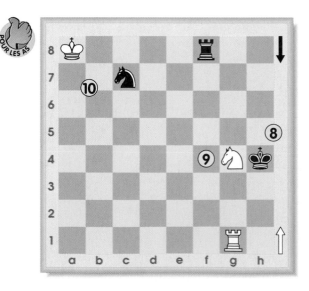

POUR LES AS

5 Le fou peut jouer en **h2**.

6 La tour peut capturer le pion.

7 Le pion blanc ne peut pas jouer dans la case **g6**.

8 Le roi noir est en échec.

9 Il peut capturer le cavalier.

10 Deux pièces mettent le roi blanc en échec.

En équipe de deux, reproduisez d'abord
la position des pièces sur votre échiquier.

a) C'est au fou à jouer. Un
joli coup lui permet
d'arrêter les trois pions.
Note la case où il doit
se rendre.

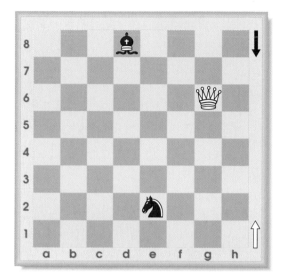

b) Où la dame peut-elle
jouer pour menacer à la
fois le fou et le cavalier ?
Note chaque case où
cela est possible.

c) En combien de coups,
au minimum, le cavalier
peut-il capturer ces pions
immobiles ?

d) Aucune de ces dames
ne se trouve sur le
chemin d'une autre.
Essaie d'en faire autant
avec 7 puis 8 dames.

Un roi est **en échec** si le camp adverse peut le capturer à son prochain coup. Par courtoisie, on avise le roi de cette situation : « Échec ! » Un roi en échec doit immédiatement réagir pour se protéger.

Échec au roi !

1   Pour chaque diagramme, note toutes les façons possibles de mettre le roi noir en échec.

a)
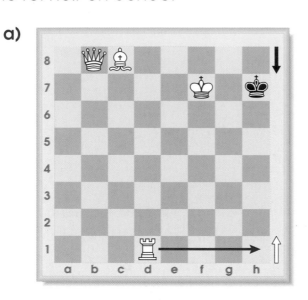

b)
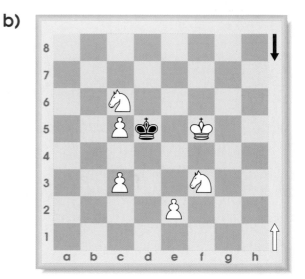

Il y a 4 façons différentes : tour en **h1**...

c)

d) POUR LES AS

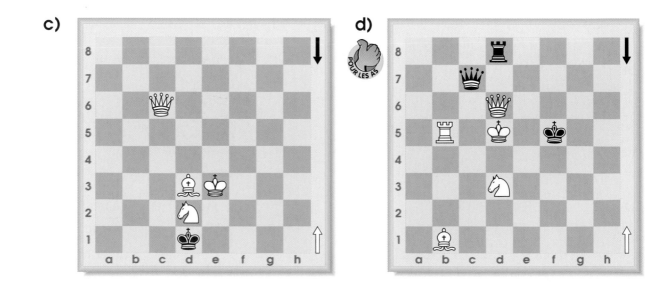

Il est absolument interdit au roi de se placer lui-même en échec.

Si cela se produit, il faut reprendre le coup et jouer ailleurs.

Majesté, ceci est interdit !

 Identifie les pièces qui mettent le roi noir en échec.
Note comment le roi peut s'en tirer.

a)
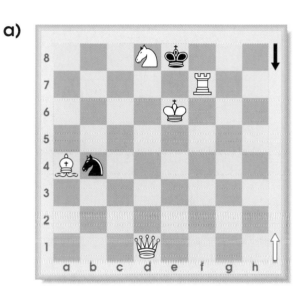

b)
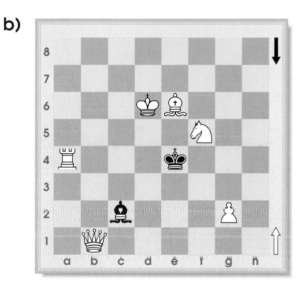

c) d)
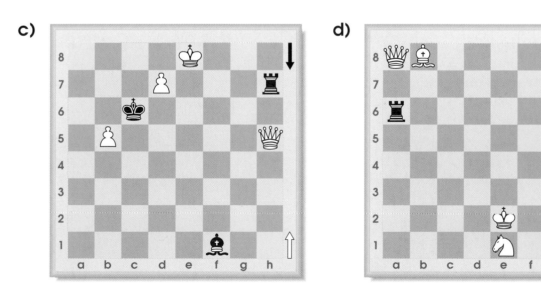

En équipe de deux, rejouez ces fins de partie pour différencier le **MAT** du **PAT**.

MAT ou DÉFAITE

Le roi blanc est en échec...

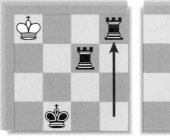

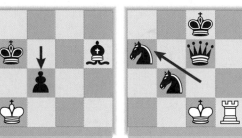

...et le roi blanc est coincé.

PAT ou PARTIE NULLE

Le roi blanc n'est pas en échec...

...et le roi blanc est coincé.

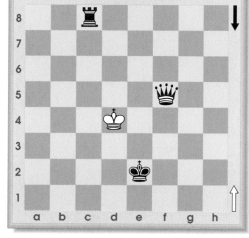

1 C'est aux blancs à jouer. Sont-ils **MAT** ?
Sont-ils **PAT** ? S'ils peuvent **JOUER**, note
leur coup.

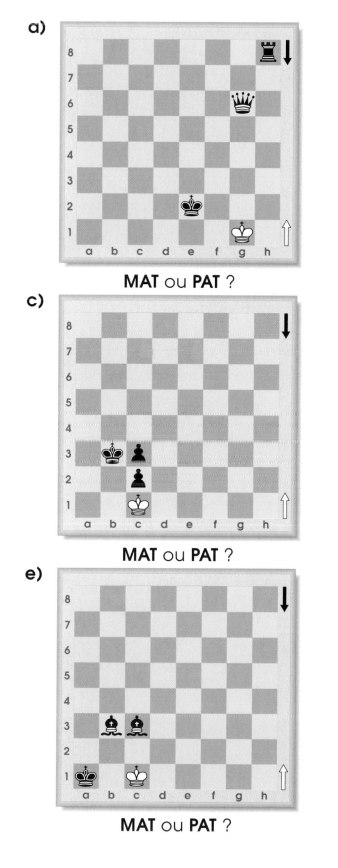

a)

MAT ou **PAT** ?

b)

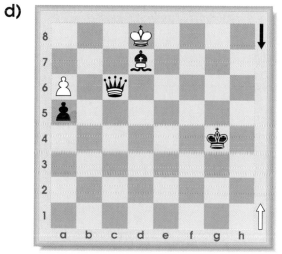

MAT ou **PAT** ?

c)

MAT ou **PAT** ?

d)

MAT ou **PAT** ?

e)

MAT ou **PAT** ?

f)

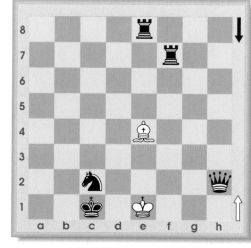

MAT ou **PAT** ?

① C'est aux blancs à jouer.
Note le coup qui donne le **MAT**.

a)

b)

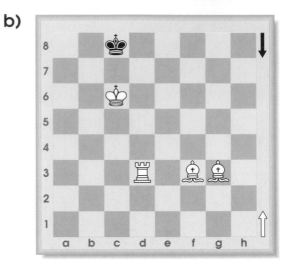

c)

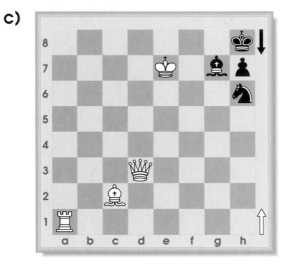

d)

e)

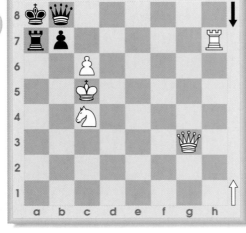

f)

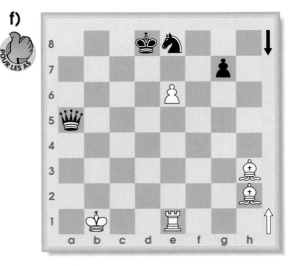

C'est aux blancs à jouer. Note un coup qui fait **MAT**. Note un coup qui fait **PAT**.

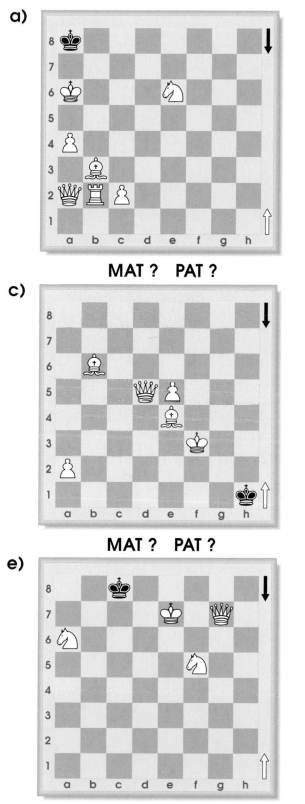

a)

MAT ?   PAT ?

c)

MAT ?   PAT ?

e)

MAT ?   PAT ?

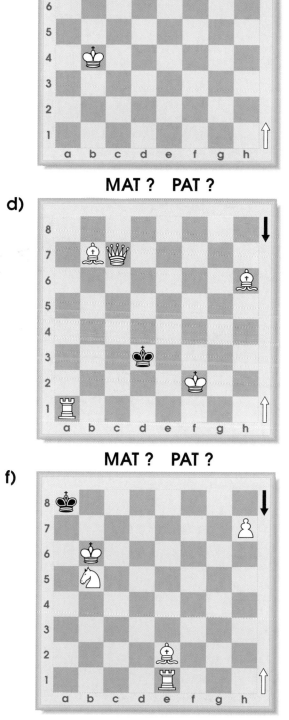

b)

MAT ?   PAT ?

d)

MAT ?   PAT ?

f)

MAT ?   PAT ?

Une machine qui sait...

L'ordinateur ne fait pas qu'ingurgiter de l'information et nous la redonner telle quelle.

> L'ordinateur sait aussi faire des calculs et des déductions logiques. Comme moi !

souris

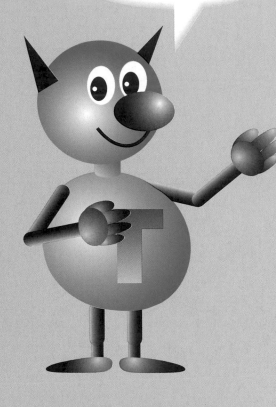

OUI OUI OUI NON OUI NON NON
OUI NON NON OUI NON NON
NON NON OUI NON OUI NON NON
NON OUI OUI NON OUI NON

Pour effectuer des calculs logiques, l'ordinateur utilise des données composées de OUI et de NON.

> Voyons, voir. Je pense...

... penser logiquement !

Comme tous les ordinateurs, D3D4 stocke des données au moyen de OUI et de NON.
Un simple jeu de cartes permet de montrer comment on alimente l'ordinateur.

Je suis rapide et efficace !

Orientation

Toutes les cartes doivent être perforées aux mêmes endroits. Le coin inférieur droit de chacune des cartes est coupé pour orienter les données.

Chaque perforation correspond toujours à la même question. Ces questions sont : La carte est-elle noire ? Sa valeur est-elle paire ? Est-elle supérieure à 7 ? Est-elle un multiple de 3 ?

Exemple

Le cinq de trèfle a été codé en répondant OUI ou NON aux quatre questions. Si la réponse était OUI, on a laissé la perforation intacte. Si la réponse était NON, on a découpé la perforation.

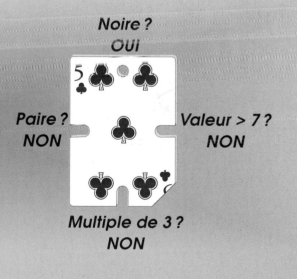

Noire ?
OUI

Paire ?
NON

Valeur > 7 ?
NON

Multiple de 3 ?
NON

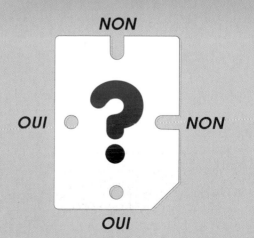

NON

OUI

NON

OUI

La carte marquée d'un point d'interrogation a été codée à partir des mêmes questions. Quelles cartes d'un jeu pourraient être codées de cette façon ?

Rue des polygones

Voici deux énigmes logiques sur un même thème. Où habite chaque personnage ? Reproduis la grille pour noter tes réponses.

1 a) Domino n'habite pas la maison en forme d'hexagone.

b) Troublefête visite souvent Caboche.

c) La maison de D3D4 est entre deux autres.

d) La maison de Caboche ressemble à un triangle.

2 a) Domino habite une maison qui n'est pas carrée.

b) La maison de Troublefête a plus de 4 côtés.

c) D3D4 habite à gauche de la maison la plus chère.

d) Caboche n'a pas deux voisins immédiats.

e) La façade de la maison de Domino n'a pas un nombre impair de côtés.

Une semaine d'activités

Détermine le jour où aura lieu chaque activité. Complète une grille comme celle illustrée.

1

a) Le club d'échecs est fermé le lundi.

b) On peut jouer au soccer à partir du mercredi.

c) Le cours de dessin est possible le mercredi ou le jeudi.

d) Le professeur de piano est présent du lundi au mercredi.

e) Le studio de danse n'ouvre que le jeudi.

2

a) Aucune activité physique n'a lieu le mercredi ni le vendredi.

b) Il est impossible de jouer aux échecs le lendemain d'un match de soccer ou d'un cours de dessin.

c) Le cours de dessin a lieu après le cours de danse.

d) Une activité artistique a lieu le lundi et une autre le jeudi.

Fiche complémentaire *Logique* 18

LOGIQUE 27

Un bal masqué

Quatre personnes assistent à un bal masqué. Trouve le déguisement de chacune à l'aide des indices donnés. Remplis une grille semblable à celle illustrée.

1
a) France et Antonio ont beaucoup dansé.

b) L'acrobate est une fille.

c) Victor a décousu son costume de clown.

d) Le fantôme est la soeur de l'acrobate.

e) La momie a beaucoup ri en compagnie de Carole et de l'acrobate.

? ? ? ?

POUR LES AS
2
a) Carla est arrivée avec le fantôme.

b) La momie est le frère de Carla.

c) C'est Maxime qui a 9 ans, pas Luigi.

d) Le clown est en première année du secondaire.

e) Les jumelles Carla et Ingrid sont plus jeunes que Maxime.

Une course de fauteuils roulants

Trouve l'ordre
d'arrivée de
quatre élèves
ayant participé
à une course.

 a) Julia a terminé avant Zénon.

b) Patrick a fini à une seconde de la première place.

c) Amanda a devancé Patrick, mais n'a pas gagné.

d) Zénon n'était ni le dernier, ni le deuxième.

	1	2	3	4
?				
?				
?				
?				

 2 **a)** Si Karl est premier, alors Olivia est troisième.

b) Olivia était juste derrière Karl à la ligne d'arrivée.

c) Le cousin de celui qui a terminé au deuxième rang est épuisé.

d) L'élève qui a fini juste après Corinne la félicite.

e) Juan a terminé devant les filles.

POUR LES AS

Sports et animaux

À partir des indices donnés, complète un tableau comme celui ci-dessous. Notes-y ensuite tes calculs logiques.

1 Trouve les sports pratiqués par chaque personne.

a) Quatre garçons pratiquent chacun deux sports.

b) Chaque activité est pratiquée par deux personnes.

c) Tchad est gardien de but.

d) Damien joue au soccer.

e) Jimmy ne joue pas au hockey.

f) Nicolas est l'ami des deux joueurs de tennis.

g) Jimmy, qui ne connaît pas Nicolas, fait de la voile.

	?	?	?	?
?				
?				
?				
?				

2 Dans quelle pièce de la maison se trouve chaque animal ?

a) L'animal de la cuisine n'a pas de poils.

b) La grenouille et le chien ne sont pas dans le salon.

c) L'animal de la chambre n'a pas quatre pattes.

d) Le poisson et la grenouille ne sont pas dans l'atelier.

e) L'animal de la salle de jeu vit dans l'eau.

f) Le chien et le poisson ne sont pas dans la chambre.

g) L'animal de la cuisine a des pattes, mais ce n'est pas le chat ni le perroquet.

Le jeu de cartes-mystère

Consignes

- Le jeu de cartes-mystère se joue à trois ou à quatre.

- Les seules cartes utilisées sont les as, les rois, les dames et les valets.

Déroulement

a) Mêler les 16 cartes du jeu. Sans les regarder, tirer 4 cartes (les cartes-mystère !) et les cacher dans une enveloppe.

b) Distribuer les 12 cartes qui restent, face cachée, aux joueuses ou aux joueurs.

c) La personne qui se trouve à gauche de celle qui donne commence.

d) Quand vient son tour de jouer, une personne peut :
- demander à une joueuse ou à un joueur de son choix de lui montrer une carte de son jeu dans l'une des catégories suivantes : cœur, carreau, pique, trèfle, as, roi, dame ou valet;
- ou bien révéler quelles sont les quatre cartes-mystère.

e) Si la personne choisie possède une ou plusieurs des cartes demandées, elle en montre une seule, de son choix. Elle la montre uniquement à la personne qui lui a demandé. Si elle n'en possède aucune, elle en fait mention.

f) Quand une personne décide de révéler le contenu de l'enveloppe, elle le décrit d'abord. Puis elle le vérifie discrètement. Deux situations sont alors possibles :
- les cartes sont toutes correctement désignées et la personne gagne la partie;
- il y a au moins une carte incorrecte et la personne est disqualifiée.

g) Une personne disqualifiée ne peut plus jouer. Elle doit cependant continuer à répondre aux demandes des autres joueuses et joueurs.

But du jeu

Découvrir les cartes cachées.

1 Composer une énigme logique est un travail digne des super as. Essaie d'abord d'inventer des problèmes simples.

Le but du problème est de placer les chiffres de 1 à 4 dans la grille ci-contre.

a) Prends un chiffre au hasard, disons le 2.

b) Invente un premier indice, disons :
Le deux n'est pas en haut.
Note soigneusement toutes les possibilités dans la grille solution.

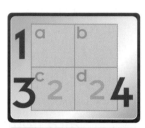

c) Ajoute un nouvel indice qui réduit les possibilités, par exemple : **c > 2.**
Enregistre tous tes calculs logiques.

d) Complète l'énigme avec un ou deux autres indices. Prends par exemple
le 1 n'est pas voisin du 2
et l'un des indices suivants :

- **b > c** ;
- **b est impair** ;
- **a + b = c + d** ;
- **a + c ≠ 4** ;
- **le 4 n'est pas sous le 1** ;
- Ton indice.

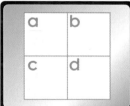

Solution

e) Complète ta solution.

f) Réécris tes indices en désordre. Soumets ton problème à tes camarades.

Un joli projet à faire à l'ordinateur !

De l'énumération...

Pendant des millénaires, les bergères et les bergers ont eu du mal à dénombrer les bêtes de leurs troupeaux. Pour y parvenir, certains gravaient des marques sur leur bâton.

*Misère !
Je sais plus où
j'en suis...*

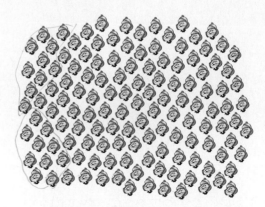

*Un, deux, trois...
Par Jupiter ! Pourriez
pas cesser de bouger,
les copains ? !*

Dans l'Antiquité, les stratèges de l'armée romaine éprouvaient également de la difficulté à évaluer rapidement le nombre de soldats au cours d'une bataille.

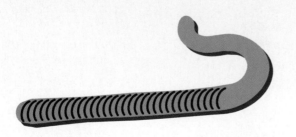

1 Combien de marques y a-t-il sur le bâton de la bergère ?

32

2 Combien y a-t-il de soldats romains ci-dessus ?

... à la numération

Les bergères et les bergers de l'Antiquité ont trouvé des solutions à leur problème.

| : un mouton

/ : le cinquième mouton

X : le dixième mouton

> *C'est en jouant à faire comme si... que l'on invente les mathématiques !*

Les stratèges romains ont aussi organisé leur armée de manière à pouvoir aisément évaluer le nombre de soldats présents.

> *Plus besoin de tout compter... Il faut juste imaginer la valeur d'une forme.*

 : un soldat romain

: dix soldats formant une décurie

: dix décuries formant une centurie

3 Combien de moutons ont été enregistrés sur ce bâton ?

4 Combien comptes-tu de soldats ?

Avec le temps, les bâtons de bergers ont évolué.
Certains ont pris la forme de celui qui est illustré ici.

1 Combien de bêtes sont enregistrées
sur ce bâton ?

Explique comment il faut interpréter ces marques.

Les marques sur les bâtons de bergers ont donné
naissance aux chiffres romains de l'Antiquité.
Puis, au fil des siècles, ces chiffres se sont modifiés
pour donner les chiffres romains modernes.

2 Observe les illustrations de soldats romains
et les nombres qui les accompagnent.

Trouve la valeur des symboles suivants.

a) C   b) X :

c) V   d) I :

CXXVII

CCCXXIII

3 Déchiffre les nombres romains qui suivent.

a) XXXVIII   b) CCX

c) CCCVI   d) CII

Des soldats ont été envoyés aux quatre coins de l'Empire romain. Un scribe a noté leur nombre sur des cartes géographiques.

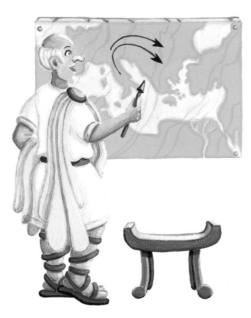

1 Combien de soldats sont représentés sur chaque carte ?

a)

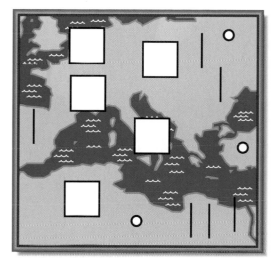

b)

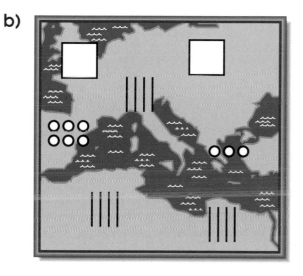

Clé

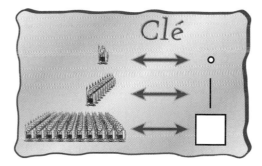

c)

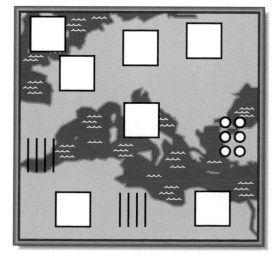

d)

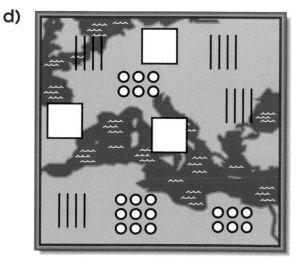

Voici le plus ancien système de numération connu. Il a été créé il y a plus de 5 500 ans, longtemps après l'apparition des premiers bâtons de bergers.

Les comptables de Mésopotamie représentaient des marchandises à l'aide de jetons d'argile. La forme des jetons déterminait leur valeur.

1 **a)** Observe ces groupes de jetons.

Pour 43 chevaux.

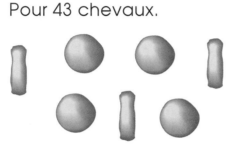

Pour 222 sacs de grain.

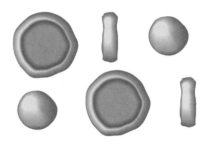

Pour 421 jarres d'huile.

b) Démontre tes talents d'archéologue en complétant la clé qui explique le système des comptables de Mésopotamie.

2 Dessine les jetons d'argile représentant les nombres suivants :

a) 245   **b)** 802

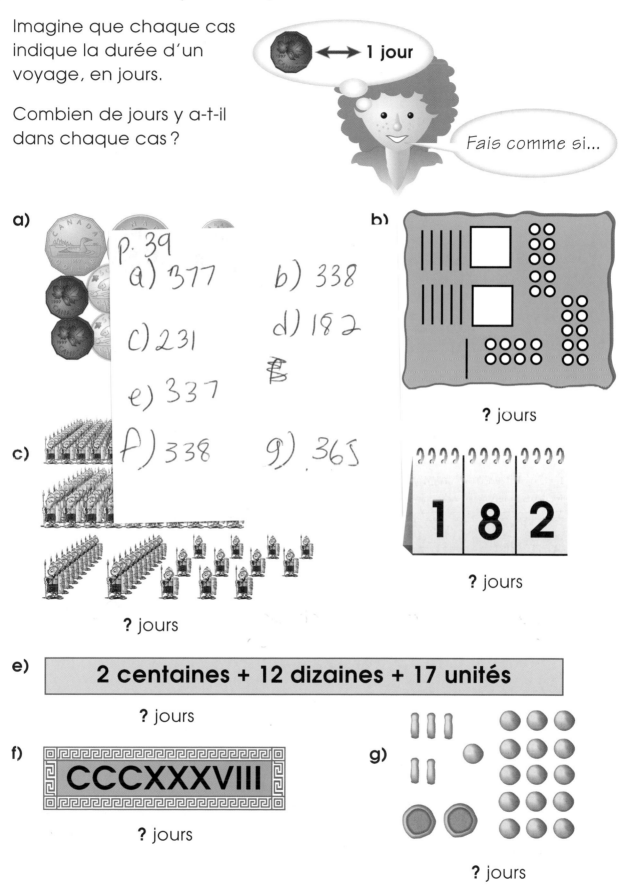

1 Voici différentes façons de représenter des nombres.

Imagine que chaque cas indique la durée d'un voyage, en jours.

↔ **1 jour**

Combien de jours y a-t-il dans chaque cas?

Fais comme si...

a)

p. 39
a) 377   b) 338
c) 231   d) 182
e) 337   ~~$~~
f) 338   g) 365

b)

? jours

c)

? jours

1 | 8 | 2

? jours

e)

2 centaines + 12 dizaines + 17 unités

? jours

f)

CCCXXXVIII

? jours

g)

? jours

Les nombres adorent se déguiser. Ils prennent souvent des visages qui les rendent méconnaissables.

1 Vérifie d'abord toutes ces représentations du nombre 502.
Attention ! Domino y a peut-être mis son grain de sel...

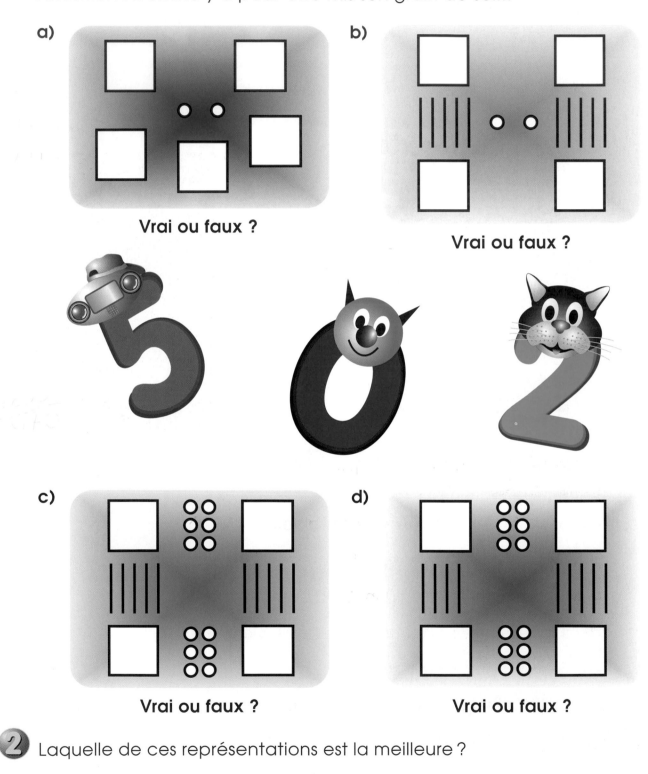

a) Vrai ou faux ?

b) Vrai ou faux ?

c) Vrai ou faux ?

d) Vrai ou faux ?

2 Laquelle de ces représentations est la meilleure ?

1 Avec tes blocs de base dix, imite chaque ensemble de pièces de monnaie.
Trouve la valeur de chaque somme.

Clé

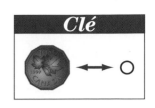

a)

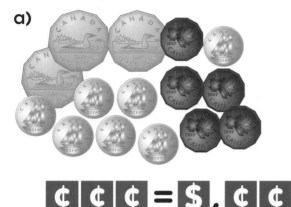

¢ ¢ ¢ = $, ¢ ¢

b)

¢ ¢ ¢ = $, ¢ ¢

c)

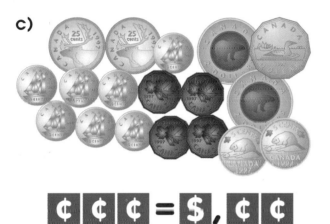

¢ ¢ ¢ = $, ¢ ¢

d)

¢ ¢ ¢ = $, ¢ ¢

2 Utilise tes blocs de base dix pour composer
les nombres qui suivent.

a) 5 unités + 3 dizaines + 2 centaines   235

b) 8 unités + 4 centaines + 6 unités + 4 dizaines   454

c) 7 centaines + 2 centaines – 5 centaines + 2 unités   402

d) 13 unités + 14 dizaines + 5 unités + 3 centaines   458

e) 3 centaines – 7 dizaines

f) 5 centaines – 3 unités – 6 dizaines

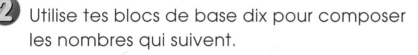

g) 8 unités + 14 dizaines + 6 centaines

2

1 Réponds aux questions et décris ta solution avec une phrase mathématique.

a) Avion offrant 257 places pour les passagers.

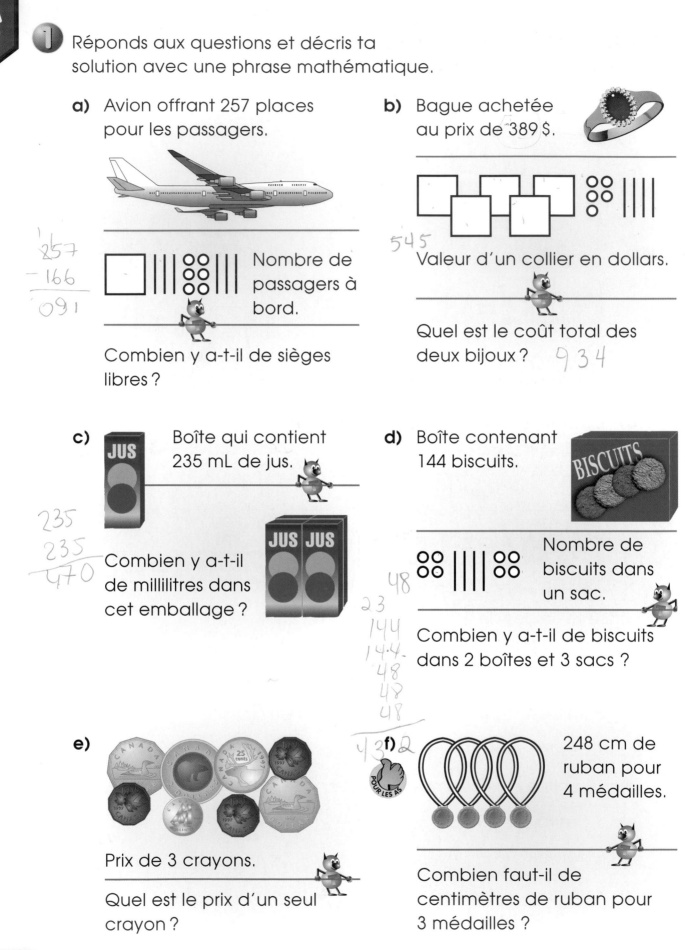

257
− 166
091

☐ |||| 88 ||| Nombre de passagers à bord.

Combien y a-t-il de sièges libres ?

b) Bague achetée au prix de 389 $.

545

Valeur d'un collier en dollars.

Quel est le coût total des deux bijoux ? 934

c) JUS Boîte qui contient 235 mL de jus.

235
235
470

Combien y a-t-il de millilitres dans cet emballage ?

d) Boîte contenant 144 biscuits.

Nombre de biscuits dans un sac.

88 |||| 88

48
23
144
14.4
48
48
48
43

Combien y a-t-il de biscuits dans 2 boîtes et 3 sacs ?

e) Prix de 3 crayons.

Quel est le prix d'un seul crayon ?

f) 248 cm de ruban pour 4 médailles.

POUR LES AS

Combien faut-il de centimètres de ruban pour 3 médailles ?

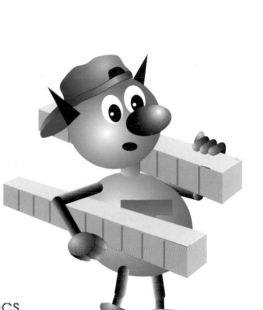

1 Utilise tes blocs de base dix pour compléter les égalités.

Clé		
u	⟷	unité
d	⟷	dizaine
c	⟷	centaine

a) $3c + 14u + 13d - 1c =$ **?**

b) $11u + 4c - 2d + 54 =$ **?**

c) $(3 \times 5d) + (2 \times 6u) + (4 \times 2c) =$ **?**

d) $410 - 5d + 8u =$ **?**

e) $\dfrac{7c + 2d + 9u}{3} =$ **?**

2 À toi maintenant de devenir un mini-prof !

a) Invente cinq cas semblables à ceux du problème 1. Vérifie-les avec tes blocs de base dix. Garde tes réponses secrètes.

b) Échange ton exercice contre celui d'une ou d'un camarade pour le valider.

Si tu utilises un logiciel de traitement de texte ou de dessin, tu pourras donner à ton oeuvre un petit air... professionnel !

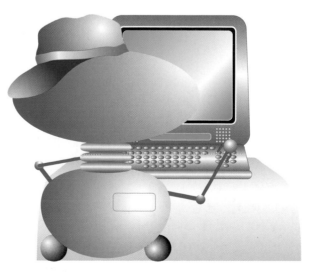

Commerce...

Remontons d'environ 3 000 ans dans le temps. En Asie, le commerce se développe de façon formidable. De nombreux marchands et marchandes asiatiques partent à la conquête du monde.

Ces nouveaux échanges commerciaux demandent de plus en plus de calculs. Les comptables asiatiques doivent trouver des moyens d'effectuer des opérations arithmétiques compliquées comme : **3 561 x 14.**

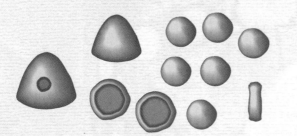

Des entailles sur un bâton ? Hum !
On y passerait sa vie entière...

Des cailloux d'argile de base dix ?
Pas commode à transporter en voyage...

Des chiffres égyptiens ?
Difficile d'écrire en ces temps-là...

... et machines à calcul

C'est d'Asie que sont venus les abaques. Ils sont les véritables ancêtres de toutes nos machines à calcul.

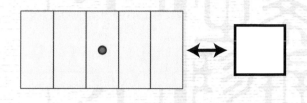

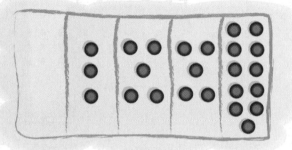

La planche à calcul est apparue en premier. Elle était formée de lignes tracées sur le sol ou sur une table et de quelques jetons de bois. Il ne restait qu'à *faire comme si...*

Le boulier européen a permis d'accélérer le calcul. Il fonctionne comme la planche à calcul, mais demande plus de raisonnement.

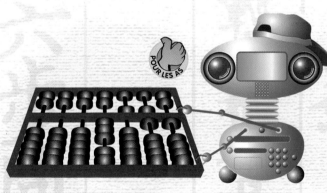

POUR LES AS

Le boulier chinois, encore plus rapide, n'a été surpassé que par l'ordinateur.

 Chaque abaque montre le nombre 3 561. Explique comment.

2 Saurais-tu afficher le nombre 1 408 sur chaque abaque ?

B
13

1 Chaque représentation correspond à un achat en cents (¢). Trouve la somme représentée. À l'aide d'une seule phrase mathématique, place tous ces montants en ordre croissant.

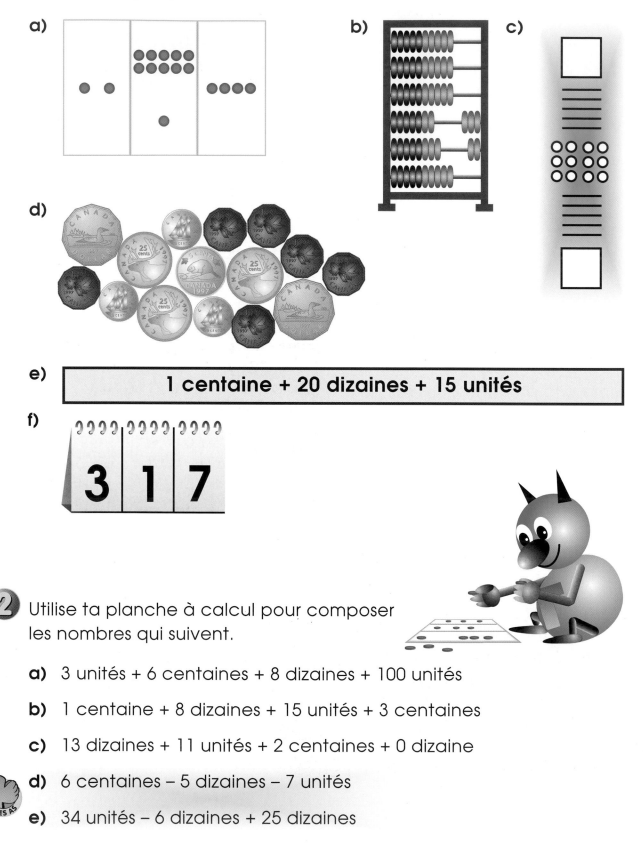

e) 1 centaine + 20 dizaines + 15 unités

f) 3 1 7

2 Utilise ta planche à calcul pour composer les nombres qui suivent.

a) 3 unités + 6 centaines + 8 dizaines + 100 unités

b) 1 centaine + 8 dizaines + 15 unités + 3 centaines

c) 13 dizaines + 11 unités + 2 centaines + 0 dizaine

d) 6 centaines − 5 dizaines − 7 unités

e) 34 unités − 6 dizaines + 25 dizaines

1 Quel est le nombre représenté sur chaque abaque ?

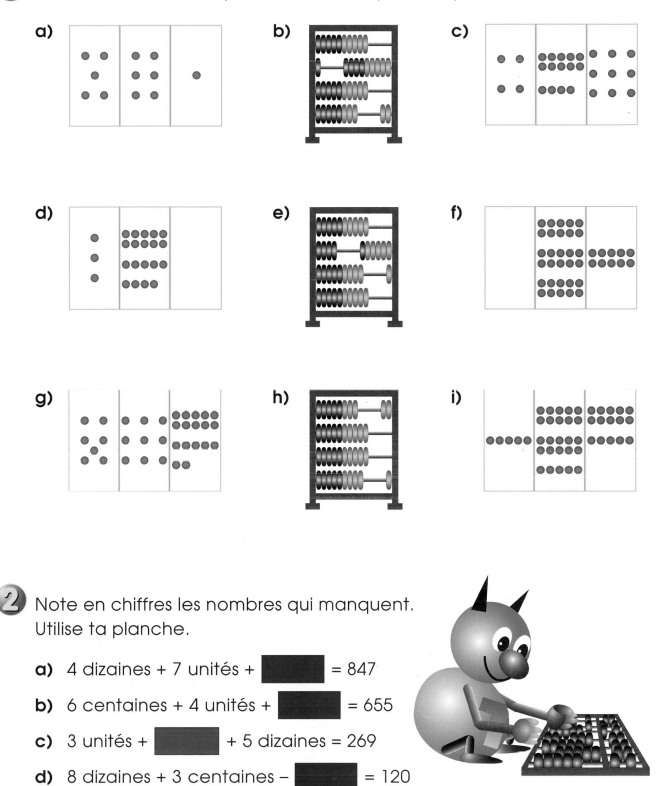

2 Note en chiffres les nombres qui manquent.
Utilise ta planche.

a) 4 dizaines + 7 unités + ▮▮▮▮ = 847

b) 6 centaines + 4 unités + ▮▮▮▮ = 655

c) 3 unités + ▮▮▮▮ + 5 dizaines = 269

d) 8 dizaines + 3 centaines − ▮▮▮▮ = 120

e) 7 centaines + 9 unités − ▮▮▮▮ = 658

1 Pour chaque planche à calcul, trouve la représentation la plus simple possible. Invente ensuite une autre décomposition pour chaque nombre

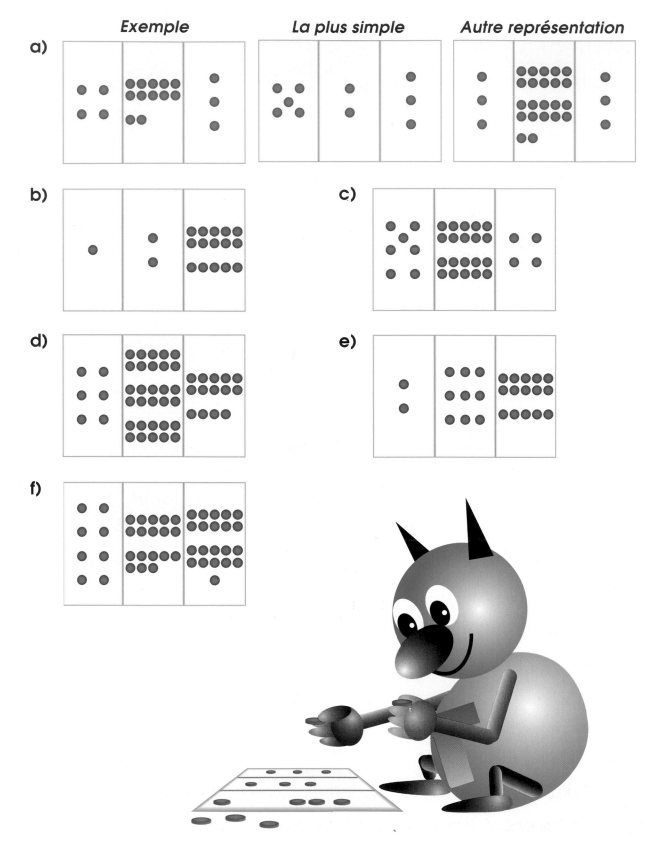

Exemple   *La plus simple*   *Autre représentation*

a)

b)

c)

d)

e)

f)

Voici des articles scolaires et leur prix. Utilise ta planche à calcul pour résoudre les problèmes qui suivent. Fais tous tes calculs en cents (¢).

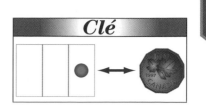

 Quel est le prix total :

a) des ciseaux et de la colle ?

$392 + 245 = 637$

b) du livre et du surligneur ?

$408 + 169 = 577$

c) des 2 articles les moins chers ?

$95 + 89 = 184$

d) des 2 articles les plus chers ?

$566 + 408 = 974$

e) de la colle et du cadenas ?

$245 + 388 = 633$

 Deux articles différents ont été achetés pour chaque montant. Avec ta calculette, trouve lesquels.

a) 4,97 $

b) 5,20 $

c) 7,35 $

d) 6,67 $

 e) (3 articles) 7,50 $

 Quel est le prix total si tu achètes ces dix articles ?

Vérifie ensuite tous tes comptes avec ta calculette.

1 Tu désires acheter un télescope et un appareil photo.

a) Laquelle de ces deux propositions offre le meilleur prix?

b) Explique ton choix à l'aide de phrases mathématiques.

465
+ 398
- 75
788 $

489 + 385 - 89 = 785 $

2 Combien chacun des nombres suivants compte-t-il de dizaines, au maximum? Prouve la réponse avec ta planche.

a) 86

b) 154

c) 213

d) 300

3 Voici une façon simple de décomposer le nombre 568:

568 = 5 centaines + 6 dizaines + 8 unités

Trouve 3 autres décompositions possibles. Utilise ta planche.

4 cent + 16 diz + 8 un.

5 cent + 5 diz + 18 un

4 cent + 15 diz + 18 un.

Autres réponses possibles.

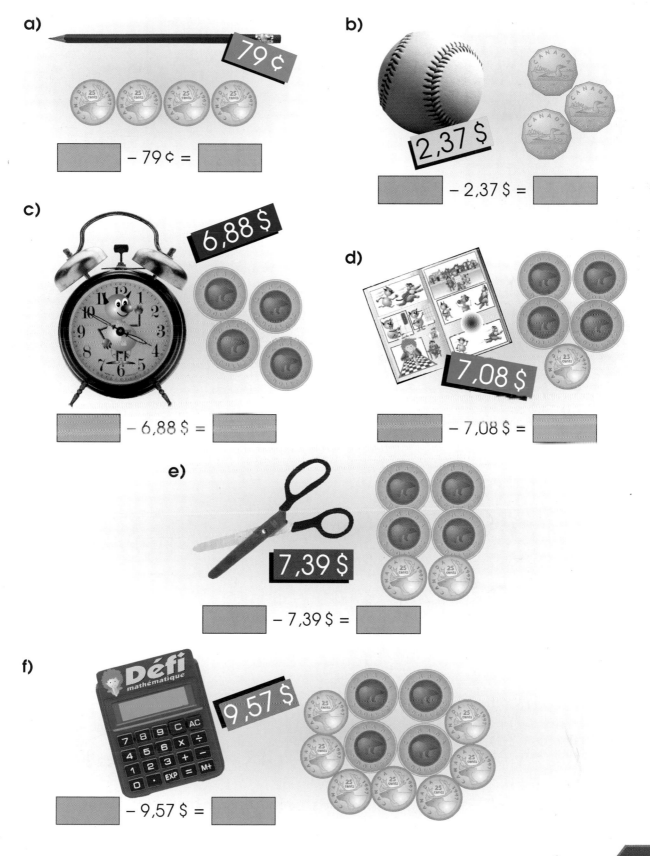

1 Pour payer chaque achat, tu donnes les pièces de monnaie illustrées. Quel montant te remet-on ? Utilise ta planche à calcul et complète les phrases mathématiques.

a)

79 ¢

[ ] − 79 ¢ = [ ]

b)

2,37 $

[ ] − 2,37 $ = [ ]

c)

6,88 $

[ ] − 6,88 $ = [ ]

d)

7,08 $

[ ] − 7,08 $ = [ ]

e)

7,39 $

[ ] − 7,39 $ = [ ]

f)

9,57 $

[ ] − 9,57 $ = [ ]

1 Combien de jetons faut-il placer dans la zone
marquée d'un point d'interrogation pour que
les deux abaques indiquent le même nombre ?

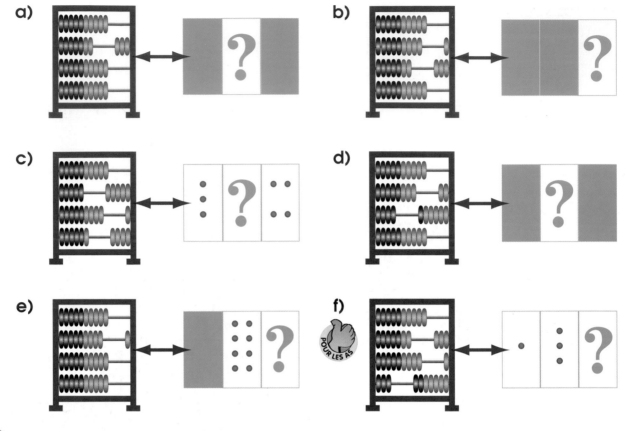

a)   b)

c)   d)

e)   f)

2 Utilise ta planche pour effectuer
les calculs qui suivent.

a) $(4 \times 2c) + (3 \times 3d) + (5 \times 1u)$

b) $(3 \times 6d) + (2 \times 4u) + (6 \times 1c)$

c) $(5 \times 3u) + (6 \times 2d) + (8 \times 0c)$

d) $(4 \times 2d) + (4 \times 3d) + (5 \times 1u)$

e) $(3c \times 2) + (2d \times 5) + (4d \times 3)$

f) $(4u \times 3) + (3c \times 1) + (5 \times 4u)$

g) $(6 \times 3d) + (9 \times 0u) + (2c \times 2)$

h) $2 \times (5c + 3d + 4d)$

i) $4 \times (6d + 10u + 2c)$

Clé	
c ⟷	centaine
d ⟷	dizaine
u ⟷	unité

Fiche complémentaire *Numération* 11

Te voici au marché pour faire quelques achats. Utilise ta planche à calcul pour résoudre les problèmes qui suivent.

Fais tous tes calculs en cents (¢).

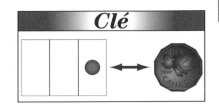

Clé

 1 Quel est le prix total pour :

a) 2 ananas ?

b) un kg de raisin et 2 épis de maïs ?

c) 3 laitues ?

d) 1 ananas et 4 poivrons rouges ?

 e) une douzaine de carottes ?

2 Pour chaque achat du problème 1, tu paies avec un billet de 10 $. Combien de monnaie te remet-on ?

1,71 $ pour 3

1,08 $ pour 6

99 ¢ pour 2

3,59 $ chacun

2,78 $ le kg

3,16 $ pour 2

3,00 $ pour 4

1,25 $ chacun

1,57 $ chacun

89 ¢ chacun

 3 Quel est le prix pour :

a) un seul chou-fleur ?

b) une carotte ?

c) un poivron vert ?

d) un radis ?

e) une pomme ?

f) dix pommes ?

1 Pour financer leurs activités, six équipes de soccer ont vendu des roses. Chaque fleur vendue 4 $ rapportait 3 $ à l'équipe.

Observe le tableau qui décrit les ventes. Pour chaque cas, note la phrase mathématique.

a) Combien de roses ont été vendues par toutes les équipes réunies ?

b) Quel est le total des ventes de l'équipe 5 ?

c) Combien d'argent l'équipe 5 a-t-elle récolté pour ses activités ?

d) Résous les cas b) et c) pour chaque équipe.

Roses vendues	
Équipe 1	53
Équipe 2	104
Équipe 3	125
Équipe 4	67
Équipe 5	146
Équipe 6	234

2 Combien de jetons faut-il placer dans la zone marquée d'un point d'interrogation pour que les deux abaques indiquent le même nombre ?

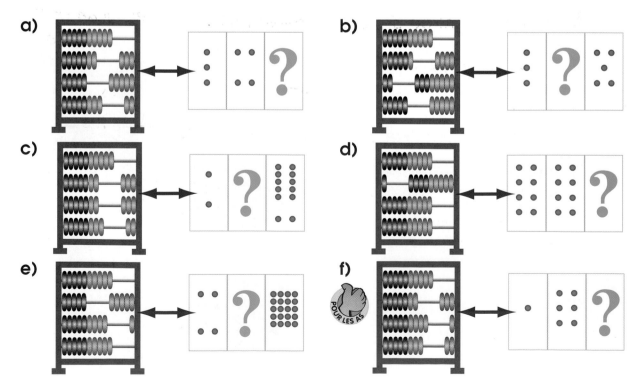

Fiche complémentaire *Numération* 11

1 Utilise ta planche pour effectuer les calculs qui suivent.

a) 257 + 5d + 2c − 13u + 123

b) 34 unités + 34 dizaines − 80

c) (5 × 3u) + (6 × 2d) + (8 × 0c)

d) 7 centaines ÷ 2

e) (3d ÷ 2) + (12u ÷ 3) + (5c ÷ 4)

Clé

c ⟷ centaine
d ⟷ dizaine
u ⟷ unité

2 Retrouve le terme manquant. Note-le en chiffres.

a) 5 centaines + 6 dizaines + ▭ = 600

b) 4 centaines + 8 unités + ▭ = 540

c) 742 = (3 centaines + 1 unité + ▭) × 2

d) (4 dizaines + ▭ + 1 centaine) × 4 = 580

e) (12u ÷ 3) + (9c ÷ 2) + (▭ ÷ 4) = 489

3 À toi maintenant de devenir un mini-prof !

a) Invente cinq cas semblables à ceux du problème 1. Vérifie-les avec ta planche à calcul. Garde tes réponses secrètes.

b) Échange ton exercice contre celui d'une ou d'un camarade pour le valider.

Utilise un logiciel de traitement de texte ou de dessin.

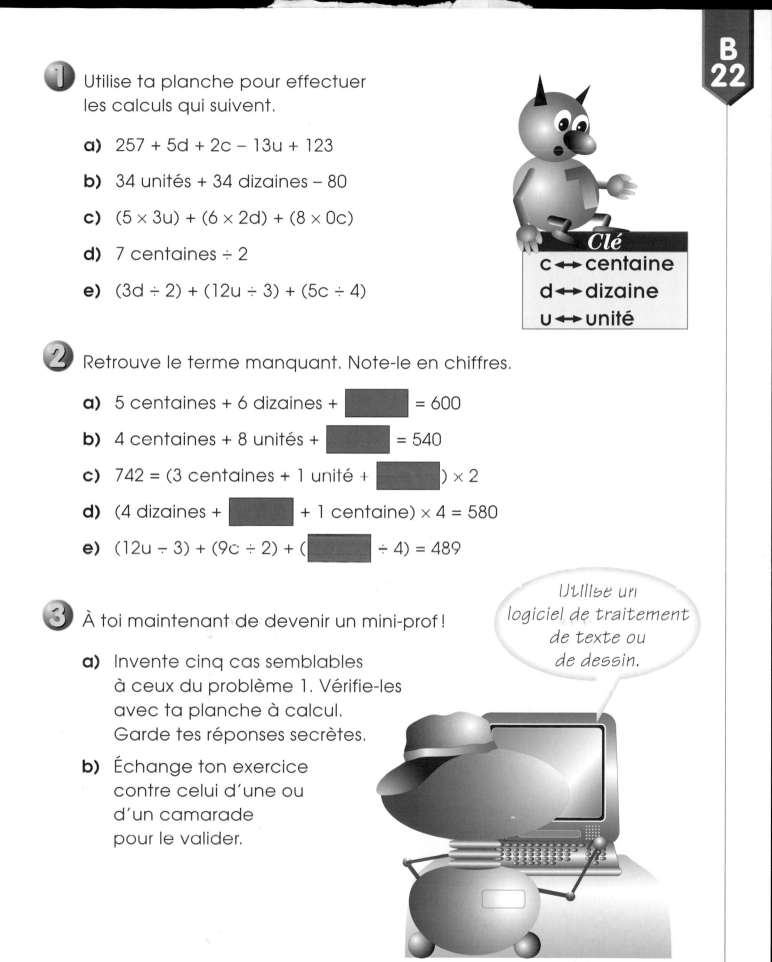

Voici deux représentations du nombre 345.

La première est la plus économique.
Mais elle ne permet pas de soustraire
directement le nombre 192.

La deuxième planche montre la meilleure
représentation de 345. C'est la meilleure
parce qu'elle permet d'y soustraire
directement le nombre 192.

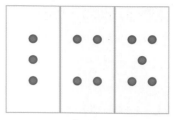

La plus économique

345 − 192 = 153

La meilleure !

1 Trouve la représentation permettant
de réaliser l'opération décrite. → *faire un exemple*

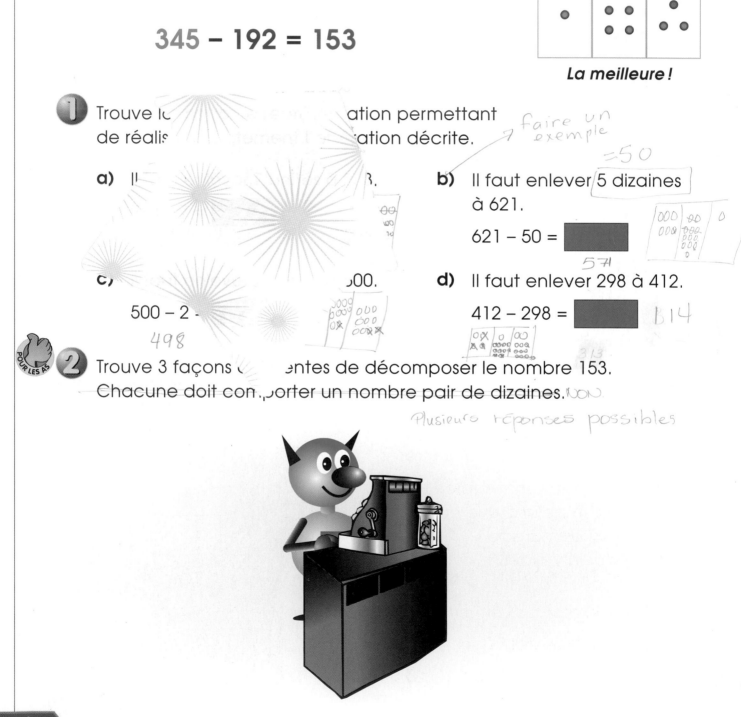

a) Il ...

b) Il faut enlever 5 dizaines = 50
à 621.

621 − 50 = ▮   *571*

c) 500.

500 − 2 =
498

d) Il faut enlever 298 à 412.

412 − 298 = ▮   *B14*

2 Trouve 3 façons différentes de décomposer le nombre 153.
Chacune doit comporter un nombre pair de dizaines. *non*

Plusieurs réponses possibles

Un repas comprend un plat principal, une boisson et un dessert. Utilise ta planche à calcul pour résoudre les problèmes qui suivent.
Fais tous tes calculs en cents (¢).
Note la phrase mathématique.

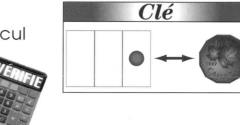

Clé

Menu

Plats principaux

2,80 $ 2,35 $ 3,39 $

Boissons

87 ¢   96 ¢   79 ¢

Desserts

1,19 $ 1,06 $ 1,55 $

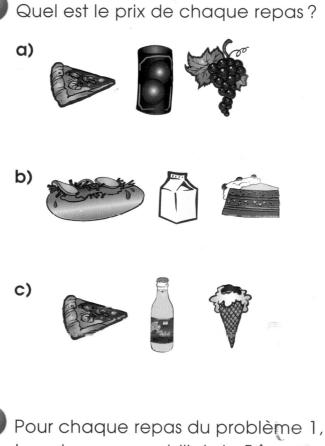

1 Quel est le prix de chaque repas ?

a)

b)

c)

2 Pour chaque repas du problème 1, tu paies avec un billet de 5 $. Combien de monnaie reçois-tu dans chaque cas ?

3 Parmi tous les repas possibles, lequel :

a) est le moins cher ?

b) est le plus cher ?

POUR LES AS **c)** coûte le plus près de 5,25 $?

Voici deux représentations du nombre 852.

La première est la plus économique. Mais elle ne permet pas de diviser directement ce nombre par 4.

La deuxième planche montre la meilleure représentation de 852. C'est la meilleure parce qu'elle permet de diviser directement ce nombre par 4.

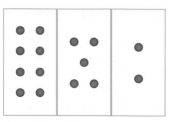

La plus économique

$$852 \div 4 = 213$$

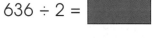

La meilleure !

 Trouve la meilleure représentation permettant de réaliser directement l'opération décrite.

a) Il faut diviser 453 par 3.

453 ÷ 3 =

b) Il faut diviser 636 par 2.

636 ÷ 2 =

c) Il faut diviser 710 par 5.

710 ÷ 5 =

d) Il faut diviser 304 par 4.

304 ÷ 4 =

 Trouve 3 façons différentes de décomposer le nombre 322. Chacune doit comporter un nombre impair de dizaines et un nombre impair de centaines.

1 Utilise ta planche à calcul pour résoudre chacun des problèmes suivants. Note la phrase mathématique qui convient.

a) À la bibliothèque municipale, on trouve 284 romans policiers, 230 encyclopédies et 347 romans d'aventures.

Combien y a-t-il de romans à la bibliothèque municipale ?

Réduction 39 $

b) Le prix régulier d'une bicyclette est de 315 $. Une réduction est annoncée.

Quel est le prix de la bicyclette après la réduction ?

c) 603 parents de l'école Dorémi ont assisté à la soirée de spectacles. Parmi ces personnes, il y en a 345 qui ont choisi le concert. Toutes les autres ont préféré assister à la chorale.

Combien de parents ont choisi le spectacle de la chorale ?

d) L'hiver dernier, il est tombé 98 centimètres de neige avant Noël et 174 centimètres après le jour de l'An.

Quelle quantité de neige avons-nous reçue l'hiver dernier ?

Numération indienne et...

Il y a 1600 ans, en Inde, est née la numération que nous utilisons encore aujourd'hui.
C'est un système formidable pour représenter les nombres. Ce sont les moines qui l'ont créé pour répondre aux besoins grandissants de la science et du commerce.

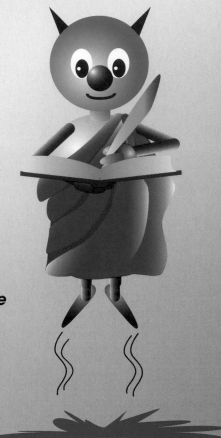

1 Que signifie le dicton cité ci-dessous dans le cas du nombre 109 ?

« Un âne sur la plus haute marche vaut plus qu'un lion sur la plus basse. »

Les chiffres en ont fait du chemin !
Mais, depuis l'introduction de l'imprimerie en Europe, vers 1450, leur forme n'a presque pas changé.

										Inde, an 200
										Espagne, an 1000
										Europe, an 1440
										Europe, an 1520
1	2	3	4	5	6	7	8	9	0	Aujourd'hui

... révolution du calcul !

L'invention indienne a surtout permis le calcul « à la plume ». Désormais étroitement associés, l'abaque et la numération écrite allaient conquérir le monde !

Le calcul sur un abaque ne laisse aucune trace. S'il y a eu erreur, il est impossible de la retrouver...

Le calcul écrit permet de revoir sa démarche et d'en vérifier toutes les étapes.

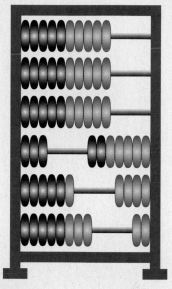

POUR LES AS **2** Sur le parchemin, il fallait effectuer 458 + 294 au moyen d'une très ancienne technique. Les étapes sont notées à l'encre bleue. Retrace l'erreur qui a été commise.

3 Voici une *super-planche*. Elle a l'avantage de ne requérir que quelques jetons. Imagine deux façons de l'utiliser pour afficher le nombre 796.

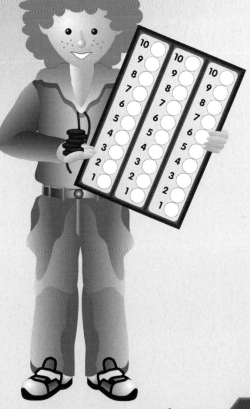

1 Voici les quatre étapes permettant d'effectuer 645 + 272 à l'aide de la planche à calcul. Refais la démarche et explique la notation qui la décrit.

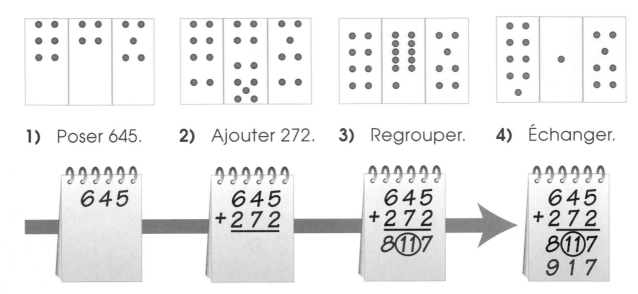

1) Poser 645.　　**2)** Ajouter 272.　　**3)** Regrouper.　　**4)** Échanger.

$$645$$

$$\begin{array}{r} 645 \\ +272 \end{array}$$

$$\begin{array}{r} 645 \\ +272 \\ \hline 8\,(11)\,7 \end{array}$$

$$\begin{array}{r} 645 \\ +272 \\ \hline 8\,(11)\,7 \\ 917 \end{array}$$

2 Utilise ta planche à calcul pour effectuer les opérations suivantes. Sur du papier brouillon, note toutes les étapes au fur et à mesure.

a) 354 + 83　　　　　　　　**b)** 647 + 35

c) 68 + 437　　　　　　　　**d)** 406 + 328

e) 713 + 206　　　　　　　**f)** 552 + 271

g) 463 + 329　　　　　　　**h)** 37 + 780

i) 2,45 $ + 1,27 $　　　　　**j)** 5,31 $ + 0,29 $

k) 4,48 $ + 3,67 $　　　　　**l)** 287 ¢ + 359 ¢

m) 53 + 134 + 9 + 278　　　**n)** 222 + 333 + 444 + 5

o) 2,60 $ + 45 ¢ + 5 $　　　**p)** 6,29 $ + 85 ¢ + 3,26 $

Sois maintenant un mini-prof en inventant tes propres exercices d'addition.

1. Révise les calculs qui apparaissent sur chaque calepin. Récris correctement les étapes qui contiennent des erreurs.

a)
```
   3 5 7
 + 4 8 1
 7 ⑫ 8
   8 2 8
```

b)
```
   6 3 6
 + 2 0 7
 8 0 ⑬
   8 1 3
```

c)
```
   4 9 3
 + 1 2 8
 5 ⑪ ⑩
 6 1 ⑩
   6 2 0
```

d)
```
   2 9 7
 + 4 8 7
 6 ⑰ ⑭
 7 7 ⑭
   7 8 4
```

e)
```
   5 7 6
 + 3 2 8
 8 9 ⑭
 8 ⑩ 4
   8 0 5
```

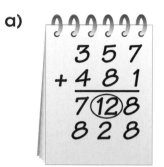

2. Chaque super-planche décrit le contenu d'un tiroir-caisse. L'unité représente 1$. Quel est le montant contenu dans chaque tiroir-caisse ?

a)
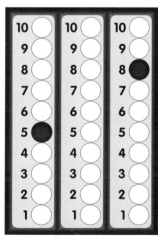

b)
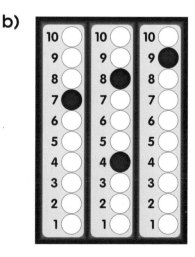

c)
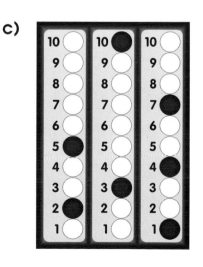

1 Domino est passé par là... Il s'est amusé à déplacer les chiffres de chaque nombre. Replace-les pour retrouver les opérations correctes du début.

a)
```
    64
 + 852
  934
```

b)
```
    54
 + 843
  852
```

c)
```
    63
 + 185
  716
```

d)
```
    68
 + 753
  560
```

e)
```
   814
 + 293
  045
```

f)
```
   923
 + 852
  164
```

g)
```
   625
 + 674
  129
```

h)
```
   940
 + 873
  148
```

2 Utilise ta super-planche pour composer les nombres suivants.

a) 2 unités + 7 centaines + 9 dizaines + 4 unités

b) 4 centaines + 5 unités + 8 unités + 3 centaines

c) 6 dizaines + 4 unités + 2 centaines + 8 dizaines

d) 11 dizaines + 4 centaines + 13 dizaines + 8 unités

e) 4 unités + 6 dizaines + 11 unités + 10 dizaines

f) 6 centaines + 123 + 20 dizaines + 79 unités

1) Voici les quatre étapes permettant d'effectuer 523 – 282 à l'aide de la planche à calcul. Refais la démarche et explique la notation qui la décrit.

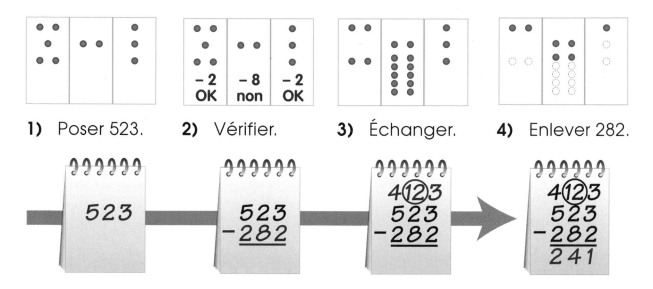

1) Poser 523.   **2)** Vérifier.   **3)** Échanger.   **4)** Enlever 282.

2) Utilise ta planche à calcul pour effectuer les opérations suivantes. Sur du papier brouillon, note toutes les étapes au fur et à mesure.

a) 174 – 53

b) 100 – 70

c) 254 – 29

d) 416 – 145

e) 508 – 137

f) 431 – 116

g) 523 – 187

h) 400 – 3

i) 9,38 $ – 7,16 $

j) 4,82 $ – 0,93 $

k) 5,00 $ – 1,45 $

l) 602 ¢ – 347 ¢

m) 300 – 412

n) 500 – 5 – 49 – 399

o) 5 $ – 0,47 $ – 94 ¢

p) 5,24 $ – 6 $

Sois maintenant un mini-prof en inventant tes propres exercices de soustraction.

1 Révise les calculs qui apparaissent sur chaque calepin. Récris correctement les étapes qui contiennent des erreurs.

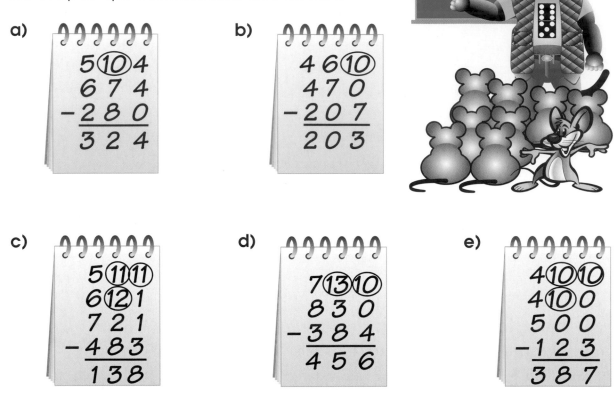

a)
```
5⑩4
674
-280
 324
```

b)
```
46⑩
470
-207
 203
```

c)
```
5⑪⑪
6⑫1
721
-483
 138
```

d)
```
7⑬⑩
830
-384
 456
```

e)
```
4⑩⑩
4⑩0
500
-123
 387
```

2 Chaque super-planche doit représenter la somme d'argent indiquée. L'unité représente 1 $. Trouve ce qu'il faut ajouter à chacune.

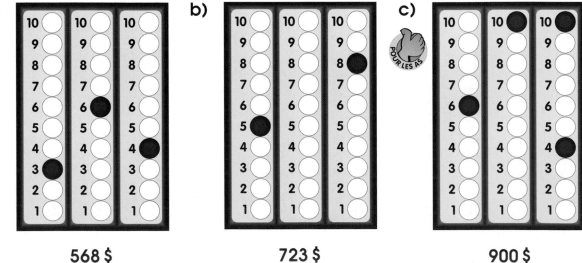

a) 568 $ b) 723 $ c) 900 $

1 Pour payer tes achats, tu donnes la somme d'argent indiquée. Quel montant te remet-on ? Utilise ta planche à calcul et note soigneusement toutes tes étapes sur du papier brouillon. Écris la phrase mathématique qui convient.

a)

359 $ 87 $

Tu donnes 460 $.

b)

65 $ 458 $

Tu donnes 550 $.

c)

257 $ 569 $

Tu donnes 900 $.

d)

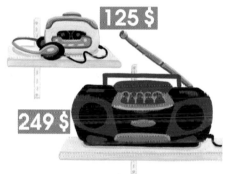

125 $ 249 $

Tu donnes 400 $.

e)

579 $ 286 $

Tu donnes 1 000 $.

f) POUR LES AS

375 $ 249 $ 568 $

Tu donnes 1 500 $.

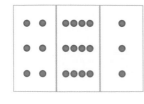

1 Voici les trois étapes permettant d'effectuer 241 × 3 à l'aide de la planche à calcul. Refais la démarche et explique la notation qui la décrit.

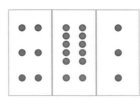

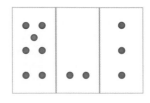

1) Poser 3 fois 241.

2) Regrouper.

3) Échanger.

```
  2 4 1
×     3
```

```
  2 4 1
×     3
6(12)3
```

```
  2 4 1
×     3
6(12)3
7 2 3
```

2 Utilise ta planche à calcul pour effectuer les opérations suivantes. Sur du papier brouillon, note toutes les étapes au fur et à mesure.

a) 35 × 4

b) 46 × 2

c) 205 × 3

d) 5 × 124

e) 104 × 9

f) 6 × 142

g) 4 × 236

h) 3 × 267

i) 1,54 $ × 4

j) 3 × 2,89 $

k) 5 × 1,44 $

l) 4 × 238 ¢

m) 257 × 4

n) 132 × 10

o) 4,57 $ × 3

p) 25 ¢ × 12

Sois maintenant un mini-prof en inventant tes propres exercices de multiplication.

Bienvenue chez l'antiquaire ! Utilise ta planche à calcul pour résoudre les problèmes suivants.

405 $

309 $

347 $

2/197 $

156 $

258 $

361 $

187 $

EN SOLDE
939 $
795 $

1 Quel est le prix de ces achats ?

a) Le tableau et le livre.

b) La montre et la berçeuse.

c) Les chandeliers jaunes et le plus cher des vases.

d) Deux berçeuses.

e) Six chandeliers.

f) Les trois vases.

2 Deux objets différents ont été achetés pour chacun des montants suivants. Avec ta calculette, trouve lesquels.

a) 465 $

b) 592 $

c) 548 $

d) 605 $

e) (3 objets) 652 $

3 De combien l'horloge est-elle réduite ?

1 Voici les quatre étapes permettant d'effectuer 642 ÷ 3 à l'aide de la planche à calcul. Refais la démarche et explique la notation qui la décrit.

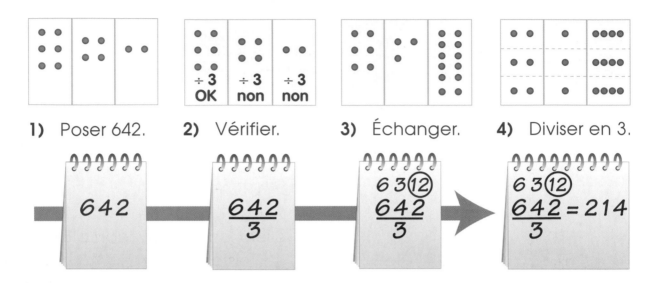

1) Poser 642.   2) Vérifier.   3) Échanger.   4) Diviser en 3.

2 Utilise ta planche à calcul pour effectuer les opérations suivantes. Sur du papier brouillon, note toutes les étapes au fur et à mesure.

a) 69 ÷ 3   b) 480 ÷ 2

c) 816 ÷ 4   d) 205 ÷ 5

e) 942 ÷ 3   f) 715 ÷ 5

g) 700 ÷ 4   h) 937 ÷ 2

i) 3,34 $ ÷ 2   j) 7,44 $ ÷ 6

k) 9,00 $ ÷ 4   l) 791 ¢ ÷ 3

m) 702 ÷ 4   n) 1 110 ÷ 10

o) 5 385 $ ÷ 3   p) 3 745 $ ÷ 2

Sois maintenant un mini-prof en inventant tes propres exercices de division.

1) Bienvenue au marché ! Utilise ta planche à calcul pour résoudre chacun des problèmes suivants. Note les phrases mathématiques qui conviennent.

a) Sur ses étagères, Mohammed a disposé 428 flacons de parfum et 113 flacons de lotion. Il vend 52 flacons durant la journée.

Combien lui reste-t-il de flacons sur ses étagères ?

b) À la boutique de Lin-Yin, un client achète un tapis à 517 $ et trois chemises à 139 $ chacune. Lin-Yin lui offre un rabais de 45 $.

À quel montant s'élève la facture ?

c) Six lampes sont affichées au coût de 918 $. Guillaume les achète pour la somme de 750 $.

Quelle économie Guillaume fait-il sur chaque lampe ?

d) Lolita offre à une cliente quatre chaises au prix total de 699 $. Chaque chaise coûte normalement 184 $.

Est-ce une bonne affaire ?

C 39

1 Chaque planche à calcul doit représenter un portefeuille contenant 456 $.
Y a-t-il des erreurs ? Vérifie.

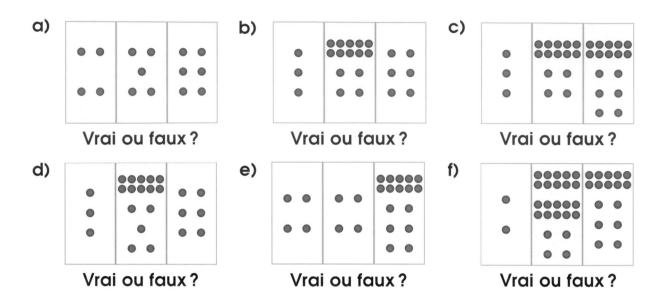

a) Vrai ou faux ?

b) Vrai ou faux ?

c) Vrai ou faux ?

d) Vrai ou faux ?

e) Vrai ou faux ?

f) Vrai ou faux ?

2 Au numéro 1, quelle est la **meilleure représentation** du nombre 456 pour effectuer les opérations suivantes ?

a) 456 $ – 90 $

b) 456 $ ÷ 2

c) 456 $ – 134 $

d) 456 $ ÷ 3

e) 456 $ – 129 $

f) 456 $ – 278 $

Voici un problème très important pour la compréhension !

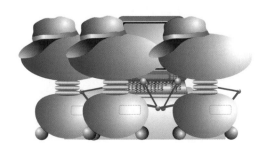

Il n'est pas facile de créer des problèmes semblables à ceux de cette page. Mais, en équipes de deux ou trois, vous y parviendrez sûrement !
Alors au boulot, les mini-profs !

Dans un carré magique, la somme des nombres de chaque rang, de chaque colonne et de chacune des deux diagonales donne toujours le même nombre.

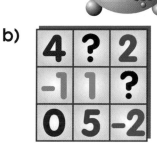

2	7	6
9	5	1
4	3	8

 Quelle est la somme du carré magique que tient D3D4 ?

 Reproduis chaque carré magique et complète-les.

a)

?	?	6
?	7	?
8	9	?

b)

4	?	2
-1	1	?
0	5	-2

 Reproduis et complète les carrés magiques suivants.

a)

88	?	134
?	157	?
?	?	226

b)

-76	?	132
?	236	?
340	?	?

c)

-203	819	?
?	235	?
?	-349	?

 Utilise ta planche à calcul pour effectuer les opérations suivantes.

a) $(3 \times 4d) + (2 \times 6u) + (2 \times 4c)$

b) $(2c + 5u + 4d) \times 4$

c) $0 \times (12d + 4c + 3u)$

d) $\dfrac{12d}{3} + \dfrac{10u}{5} + \dfrac{11d}{2}$

e) $\dfrac{16c}{4} + \dfrac{13d}{4} + \dfrac{2u}{4}$

f) $\dfrac{7c + 2u + 9d}{3}$

g) $\dfrac{7c + 2d + 5u}{5}$

Clé	
u ⟷	unité
d ⟷	dizaine
c ⟷	centaine

Estimation...

Notre soleil n'est qu'une des très nombreuses étoiles de la Voie lactée. Les astronomes estiment qu'il y a environ 100 milliards d'étoiles dans notre galaxie.

En comptant une étoile par seconde, il faudrait 3 168 années, 295 jours, 9 heures et...

OK ! Réglons pour 3 000 ans...

1 Comment les scientifiques peuvent-ils en arriver à ce résultat (sans y passer leur existence) ?

2 Dans cette érablière, chaque arbre produit environ un litre de sirop par année.

Combien de litres de sirop seront produits dans cette érablière cette année ?

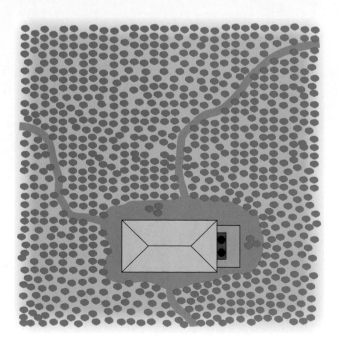

... et calcul arrondi

Il est souvent inutile ou impossible de dénombrer avec précision une quantité que nous désirons connaître. Un bon raisonnement et le calcul arrondi peuvent alors nous dépanner...

3 Tu as écrit un roman-jeunesse à succès de cent pages. Ton éditeur désire le faire traduire en espagnol. Au tarif annoncé, combien coûte cette traduction?

**TRADUCTION
30 ¢ du mot**

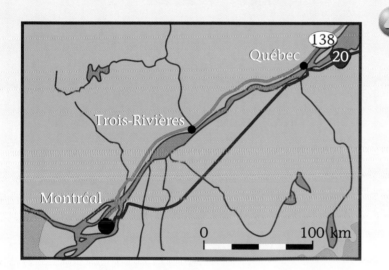

4 Tu habites Montréal et tu dois te rendre à Québec aujourd'hui par la route 20. Au retour, tu souperas à Trois-Rivières avant de revenir chez toi, vers 23 heures.

Combien de kilomètres parcourras-tu aujourd'hui ?

Il te faudra deux planches à calcul pour afficher ce nombre...

5 Combien de repas prendras-tu dans toute ta vie ?

6 Quelle est la hauteur de ton école, en mètres ?

7 Combien d'élèves fréquentent ton école ?

1 Dans la tirelire de Daphné, il y a une somme de 8,17 $. Ce montant est déjà indiqué sur la planche à calcul. Un échange de pièces est décrit.

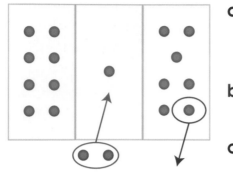

a) Quelles pièces sont enlevées ou ajoutées ?

b) Quel effet cet échange a-t-il sur le contenu de la tirelire ?

c) Complète la phrase mathématique qui décrit cette situation.

8,17 $ + ⬛ = ⬛

2 Un échange est proposé pour chacune des planches à calcul suivantes. À l'aide d'une phrase mathématique, décris l'effet de l'échange sur la quantité déjà représentée.

a)   **b)**   **c)**

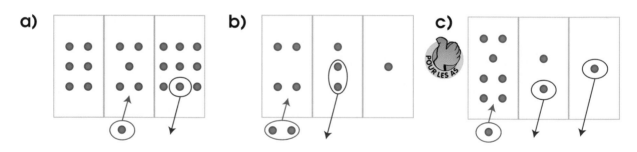

3 Trouve les échanges qui permettent d'effectuer le plus rapidement possible les opérations suivantes sur ta planche à calcul.

a) 256 + 8   **b)** 459 + 39

c) 528 + 90   **d)** 737 + 57

e) 352 + 99   **f)** 397 + 265

g) 289 + 465   **h)** 127 + 996

À l'épicerie, aimes-tu entendre :
« Je regrette ! Tu n'as pas assez
d'argent... » ?

Alors, un
peu de calcul
mental ?

1 Le montant d'argent indiqué permet-il
de payer les articles de chaque chariot ?

a) Avec 2 $ en poche

75 ¢

1,29 $

b) Avec 4 $ en poche

1,79 $

95 ¢

1,19 $

c) Avec 10 $ en poche

3,29 $

4,78 $

1,15 $

89 ¢

d) Avec 7 $ en poche

1,39 $

99 ¢

Colle

2,59 $

1,95 $

2 Parmi les articles du numéro 1, trouves-en trois
dont le prix total se situe :

a) entre 2 $ et 3 $

b) entre 3 $ et 4 $

c) entre 4,50 $ et 5 $

d) entre 5,75 $ et 6 $

1 Dans le portefeuille de M. Richard, il y a une somme de 426 $. Ce montant est déjà indiqué sur la planche à calcul. Un échange de billets est décrit.

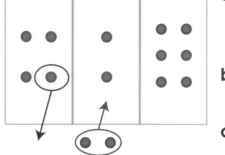

a) Quels billets sont enlevés ou ajoutés ?

En bleu : ajouter
En rouge : enlever

b) Quel effet cet échange a-t-il sur le contenu du portefeuille ?

c) Complète la phrase mathématique qui décrit cette situation.

426 $ –   =

2 Un échange est proposé pour chacune des planches à calcul suivantes. À l'aide d'une phrase mathématique, décris l'effet de l'échange sur la quantité déjà représentée.

a)

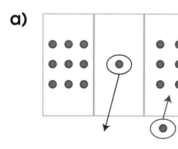

b)

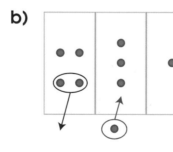

c)

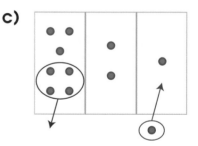

3 Trouve les échanges qui permettent d'effectuer le plus rapidement possible les opérations suivantes sur ta planche à calcul.

a) 324 – 8   **b)** 510 – 90

c) 613 – 47   **d)** 600 – 70

e) 425 – 98   **f)** 504 – 295

g) 800 – 89   **h)** 520 – 388

1 Pour lire des diagrammes, il faut souvent faire appel
à l'estimation. Observe le diagramme suivant.
Quelle est la hauteur des cinq édifices illustrés ?

La course vers les nuages

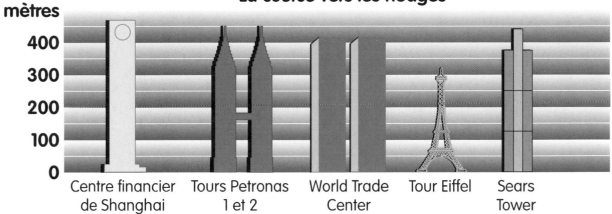

mètres

400
300
200
100
0

| Centre financier de Shanghai | Tours Petronas 1 et 2 | World Trade Center | Tour Eiffel | Sears Tower |

2 Trace un diagramme à bandes qui reprend les éléments
du diagramme ci-dessus. Ajoute les deux édifices suivants
et replace toutes les constructions en ordre croissant.

a) L'Empire State Building a longtemps
été l'édifice le plus élevé du monde.
Il mesure environ 60 m de moins que
les tours Petronas.

b) La course vers les nuages n'est pas
terminée. Trouve des renseignements
sur l'actuel record mondial.

 3 Fais une recherche sur les édifices dont il est
question dans cette page. Trouve dans quelle
ville, dans quel pays et en quelle année ils ont
été construits.

1 Complète les égalités suivantes.
Utilise ta super-planche pour t'aider.

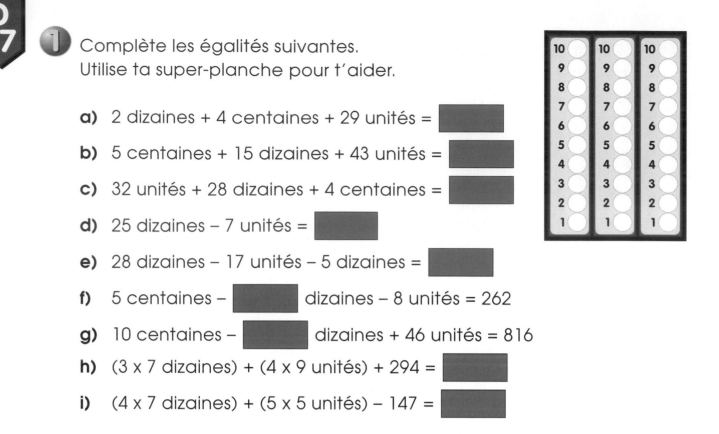

a) 2 dizaines + 4 centaines + 29 unités =

b) 5 centaines + 15 dizaines + 43 unités =

c) 32 unités + 28 dizaines + 4 centaines =

d) 25 dizaines – 7 unités =

e) 28 dizaines – 17 unités – 5 dizaines =

f) 5 centaines – dizaines – 8 unités = 262

g) 10 centaines – dizaines + 46 unités = 816

h) (3 x 7 dizaines) + (4 x 9 unités) + 294 =

i) (4 x 7 dizaines) + (5 x 5 unités) – 147 =

2 Retrouve les chiffres cachés qui rendent
les calculs exacts.

a)
```
   3 ▨ 7
 + ▨ 3 ▨
 ───────
   8 7 9
```

b)
```
   ▨ 3 6
 + 2 ▨ ▨
 ───────
   7 8 2
```

c)
```
   4 ▨ 5
 + ▨ 2 ▨
 ───────
   9 0 7
```

d)
```
   2 8 ▨
 + 3 ▨ 7
 ───────
   ▨ 4 6
```

e)
```
   6 5 ▨
 – ▨ 4 5
 ───────
   3 ▨ 2
```

f)
```
   8 4 ▨
 – 7 ▨ 0
 ───────
   ▨ 8 7
```

g)
```
   ▨ 1 3
 – 2 0 ▨
 ───────
   3 ▨ 5
```

h)
```
   6 ▨ 4
 – 3 6 ▨
 ───────
   ▨ 3 5
```

i)
```
   ▨ 3 1
 ×   ▨
 ───────
   6 ▨ 3
```

j)
```
   4 ▨ ▨
 ×    2
 ───────
   ▨ 6 6
```

k)
```
   ▨ 0 ▨
 ×   ▨
 ───────
   8 2 8
```

l)
```
   ▨ 3 6
 ×   ▨
 ───────
   ▨ 5 2
```

m) $\dfrac{4\,▨\,▨}{2} = ▨\,4\,3$

n) $\dfrac{7\,▨\,9}{3} = 2\,5\,▨$

o) $\dfrac{5\,▨\,6}{▨} = 1\,2\,▨$

POUR LES AS

1) Utilise ta planche à calcul pour résoudre chacun des problèmes suivants. Écris la phrase mathématique qui convient.

a) Zoé la tigresse, Dick l'éléphanteau et Berthe la gazelle montent sur une immense balance. Leur masse totale est de 936 kg.

Quelle est la masse approximative de chaque animal?

b) 786 élèves fréquentent l'école du Ruisseau.

Combien de salles de classe y a-t-il dans l'école du Ruisseau?

c) Environ combien de crayons à colorier y a-t-il dans la classe actuellement?

d) Depuis combien de semaines es-tu au monde?

e) Pour chauffer son logement, M. Dupuis possède un système au mazout.

Voici ses dépenses pour les premiers mois de l'année. Trouve combien M. Dupuis devra payer annuellement pour le mazout.

PÉTROPLUS	
Coût du mazout	
Janvier	174 $
Février	197 $
Mars	108 $
Avril	85 $

1 Dans chacun des cas suivants, choisis trois articles différents. Attention ! Il faut que le prix total se trouve dans l'intervalle indiqué.

a) Entre **2,00 $** et **2,30 $**

b) Entre **3,00 $** et **3,50 $**

c) Entre **400 $** et **450 $**

d) Entre **20 $** et **21 $**

2 Refais le même travail en achetant, dans chaque cas, trois articles identiques. Note les articles choisis.

Échanges...

Il y a très longtemps, l'argent n'existait pas. Pourtant, grâce au **troc**, le commerce était possible. Cherche dans le dictionnaire ce que signifie le mot troc.

Boris, le berger, désire se procurer un bon gardien. Chez Carla, qui élève des chiens, il trouve la bête qu'il lui faut.

1 Comment Boris peut-il acquérir son chien s'il n'a pas d'argent ?

2 Cette marchande de poulets accepte des sacs de grains en échange de ses poulets.

a) Explique ce qu'elle propose.

b) Tu désires obtenir un seul poulet. Combien de sacs de grains lui offres-tu ?

... et équivalences

De nos jours, presque tous les pays
du monde possèdent leur monnaie.
La monnaie permet des échanges
commerciaux plus efficaces.

Des règles mathématiques très
précises permettent d'échanger
les pièces ou les billets d'un
système monétaire.

3 Quel est le prix du surligneur
acheté par Caboche ?

4 Quelles pièces de monnaie canadienne
faut-il réunir pour acheter une calculatrice
au prix de 9,50 $?

5 Complète les échanges de pièces de
monnaie commencés ci-dessous.

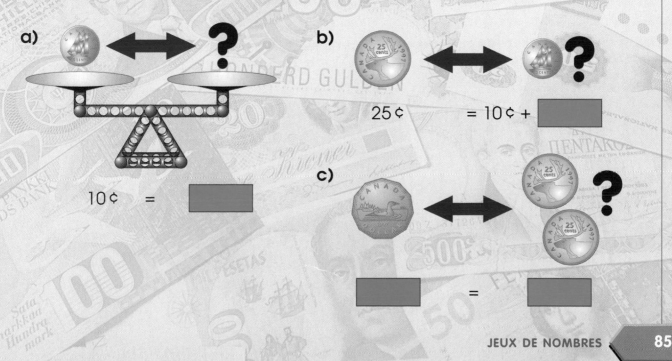

a)

10 ¢ =

b)

25 ¢   = 10 ¢ +

c)

=

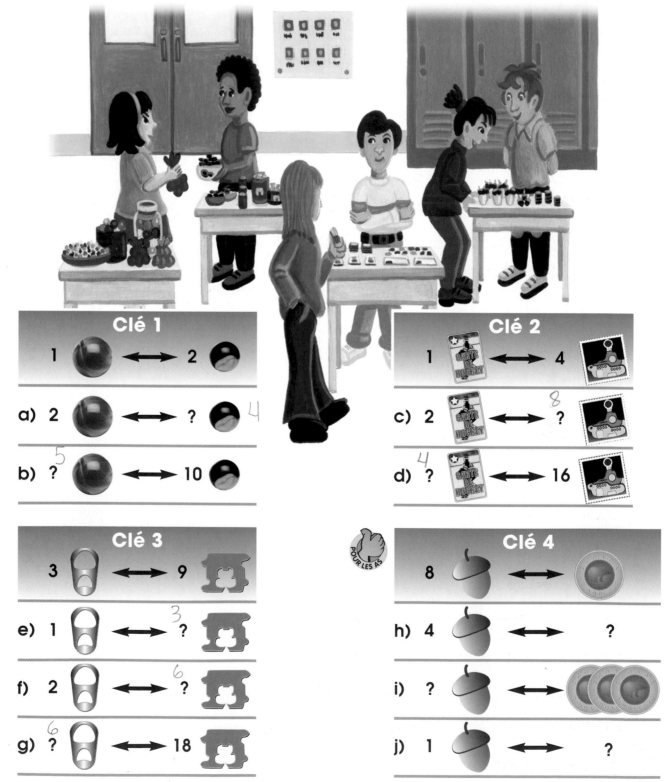

C'est la journée des collections à l'école. Tout le monde peut y échanger ses précieux trésors... Dans chaque cas, des élèves se sont entendus sur une clé d'échange.

1 Complète les transactions.

Clé 1

1 ⟷ 2

a) 2 ⟷ ? 4

b) ? 5 ⟷ 10

Clé 2

1 CARTE DE HOCKEY ⟷ 4

c) 2 CARTE DE HOCKEY ⟷ ? 8

d) ? 4 CARTE DE HOCKEY ⟷ 16

Clé 3

3 ⟷ 9

e) 1 ⟷ ? 3

f) 2 ⟷ ? 6

g) ? 6 ⟷ 18

POUR LES AS

Clé 4

8 ⟷

h) 4 ⟷ ?

i) ? ⟷

j) 1 ⟷ ?

La mesure du temps nécessite aussi des clés d'échange. Les blocs de base dix peuvent t'aider à les imaginer.

 1 Complète les équivalences de temps.

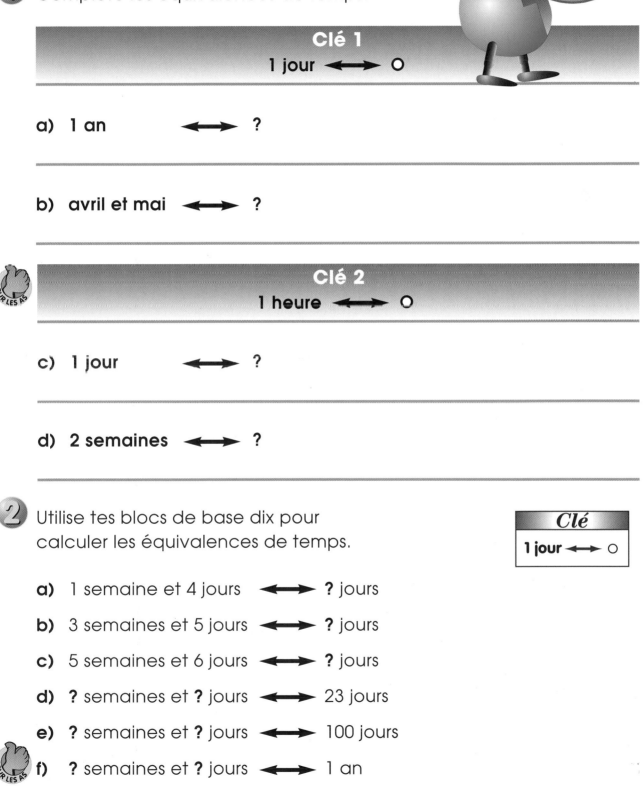

Clé 1

1 jour ⟷ ◯

a) 1 an ⟷ ?

b) avril et mai ⟷ ?

Clé 2

1 heure ⟷ ◯

c) 1 jour ⟷ ?

d) 2 semaines ⟷ ?

2 Utilise tes blocs de base dix pour calculer les équivalences de temps.

Clé

1 jour ⟷ ◯

a) 1 semaine et 4 jours ⟷ ? jours

b) 3 semaines et 5 jours ⟷ ? jours

c) 5 semaines et 6 jours ⟷ ? jours

d) ? semaines et ? jours ⟷ 23 jours

e) ? semaines et ? jours ⟷ 100 jours

f) ? semaines et ? jours ⟷ 1 an

Les égalités sont des phrases mathématiques qui, d'une certaine manière, parlent d'échanges et d'équivalences...

C'est moi le champion des phrases mathématiques !

1 Observe comment D3D4 transforme une égalité simple en phrase mathématique compliquée. Entoure l'échange qui a été fait à chaque nouvelle ligne.

$8 = 8$

$4 + 4 = 8$

$4 + (2 \times 2) = 8$

$4 + (2 \times 2) = 9 - 1$

$4 + (2 \times 2) = 6 + 3 - 1$

2 Partant de l'égalité de droite, imagine différentes expressions qui pourraient remplacer le nombre 12.

N'utilise pas le nombre 0.

$$12 \quad = \quad 12$$

a) ☐ + ☐   b) ☐ + ☐   c) ☐ + ☐

d) ☐ + ☐   e) ☐ + ☐   f) ☐ + ☐

g) ☐ + ☐   h) ☐ + ☐   i) ☐ − ☐

j) ☐ − ☐   k) ☐ − ☐   l) ☐ − ☐

m) ☐ + ☐ + ☐   n) ☐ − ☐ + ☐

o) ☐ + ☐ − ☐   p) ☐ − ☐ − ☐

POUR LES AS

3 Rends chacune des expressions suivantes égale à 12.

a) ☐ + 3 − 4   b) ☐ − 6 + 8   c) ☐ − 1 − 2

d) ☐ × ☐ + ☐   e) ☐ × ☐ − ☐

f) 7 − 8 + ☐   g) ☐ ÷ 3   h) 48 ÷ ☐

Les inégalités racontent des tentatives
d'équivalence qui n'ont pas réussi...

$$6 - 2 + 3 > 9 - 4$$

1 Vérifie s'il y a égalité ou non. Complète
chaque phrase mathématique en
utilisant le signe <, > ou =.

a) $5 + 2 + 3$ ◯ 9

b) $7 + 2 - 2$ ◯ $7 + 9 - 9$

c) 3 ◯ $5 - 5 + 7 - 3$

d) $3 + 4 + 4$ ◯ $9 - 6 + 7$

e) $3 \times 5 + 1$ ◯ 4×4

f) $8 - 5 - 3$ ◯ $7 - 5 - 4$

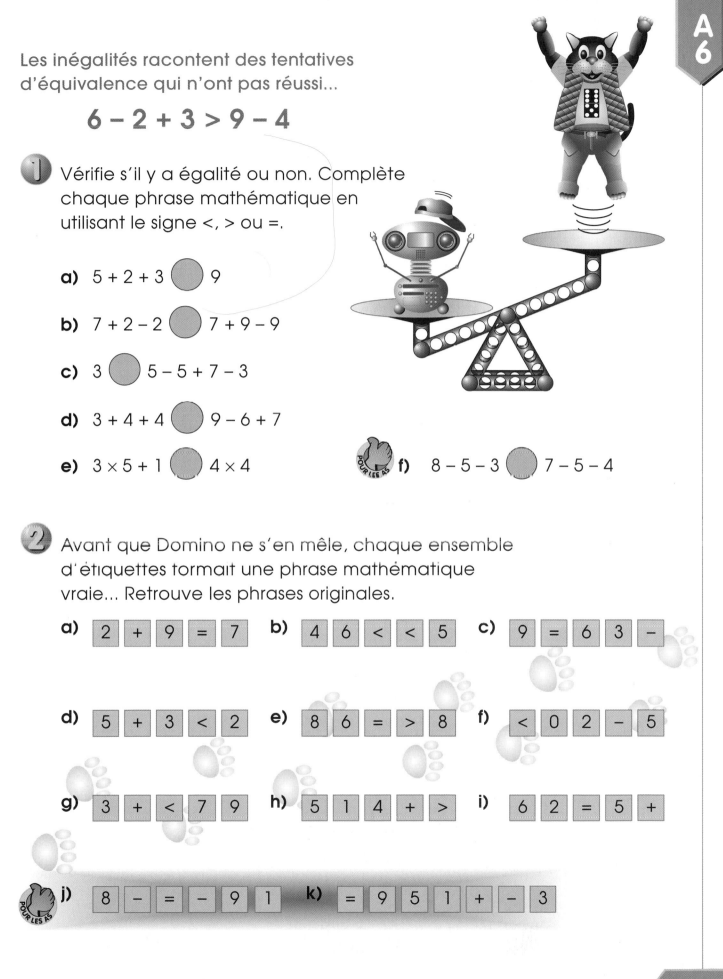

2 Avant que Domino ne s'en mêle, chaque ensemble
d'étiquettes formait une phrase mathématique
vraie... Retrouve les phrases originales.

a) | 2 | + | 9 | = | 7 |

b) | 4 | 6 | < | < | 5 |

c) | 9 | = | 6 | 3 | − |

d) | 5 | + | 3 | < | 2 |

e) | 8 | 6 | = | > | 8 |

f) | < | 0 | 2 | − | 5 |

g) | 3 | + | < | 7 | 9 |

h) | 5 | 1 | 4 | + | > |

i) | 6 | 2 | = | 5 | + |

j) | 8 | − | = | − | 9 | 1 |

k) | = | 9 | 5 | 1 | + | − | 3 |

1 Pour jouer à nombre-mystère, résous d'abord les huit phrases mathématiques d'une grille.

Tous les nombres de 1 à 9 devraient y être, sauf un... C'est lui le nombre-mystère !

a)

$a + 6 = 12$ $a = ?$	$b < 2$ $b = ?$	$3 = c - 6$ $c = ?$
$d > 7$ $d = ?$	Qui suis-je ?	$7 - e = 5 - 3$ $e = ?$
$f = 10 - 7$ $f = ?$	g est impair $g = ?$	$2 < h < 7$ $h = ?$

Voici l'un de mes jeux préférés !

b)

$a - 5 = 5 - 1$ $a = ?$	$b + 3 = 9 - 1$ $b = ?$	$c > 5 + 1$ $c = ?$
$3 + d < 6$ $d = ?$	Qui suis-je ?	$e = 8 - 4$ $e = ?$
$f - 2 = 5$ $f = ?$	$3 + g = 4$ $g = ?$	$h - 1 - 3 = 2$ $h = ?$

c)

$a < 7$ $a = ?$	$2 < b < 6$ $b = ?$	$c - 3 = 9 - 5$ $c = ?$
$d - 3 = 2$ $d = ?$	Qui suis-je ?	$e + e = 6$ $e = ?$
$4 = f - 4$ $f = ?$	$9 - g = 2 + 1$ $g = ?$	h est pair $h = ?$

Fiche complémentaire *Jeux de nombres 6*

1 Voici deux autres grilles pour jouer à nombre-mystère.

a)

a > 5 a = ?	b – 2 = 4 – b b = ?	6 ÷ c = 3 c = ?
d + d + d = 12 d = ?	**Qui suis-je ?**	e > a e = ?
f est pair f = ?	3 < g < 6 g = ?	h ÷ 2 = 4 h = ?

b)

a x 1 = a ÷ a a = ?	b ÷ 4 = 2 b = ?	2 < c < 6 c = ?
2 – 7 = –d d = ?	**Qui suis-je ?**	e x e = e + e e = ?
2 x f = 9 – f f = ?	g + 3 = 3 x c g = ?	h est impair h = ?

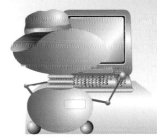

2 Aimerais-tu devenir un mini-prof ?

a) Invente une grille pour jouer à nombre-mystère. Garde tes réponses secrètes.

b) Échange ta grille contre celle d'une ou d'un camarade pour les valider.

a = ?	b = ?	c = ?
d = ?	**Qui suis-je ?**	e = ?
f = ?	g = ?	h = ?

Si tu le peux, utilise un logiciel de dessin. Tu découvriras que les règles magnétiques sont de formidables outils pour tracer des grilles.

POUR LES AS

Raccourcis, astuces...

Voici le château des nombres.
Plusieurs chemins permettent de passer
d'une pièce à une autre.

Caboche, Troublefête et D3D4 se
trouvent réunis dans la pièce 48.
Ils doivent avancer de 38 pièces.

Caboche fonce, tête
baissée : 49, 50, 51...

Troublefête connaît
les passages
secrets du
château...

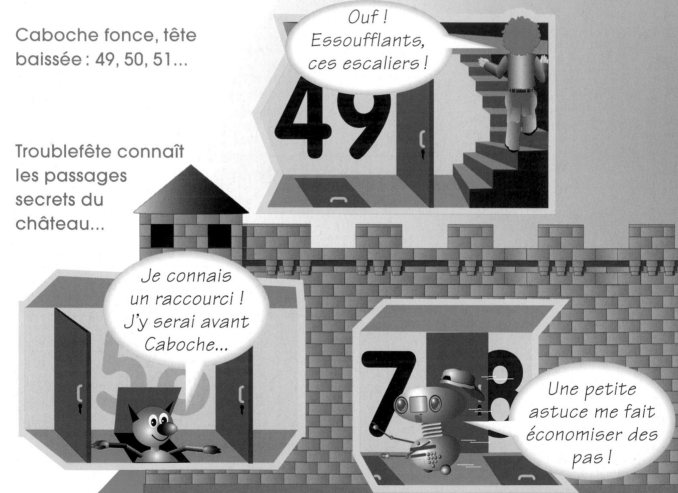

Mais il y a encore mieux !
Parti après les autres, D3D4
arrive avant tout le monde...

Essaie d'imaginer les chemins empruntés
par chacun des personnages.
Dans quelle pièce se sont-ils retrouvés ?

... et calcul rapide !

90	91	92	93	94	95	96	97	98	99
80	81	82	83	84	85	86	87	88	89
70	71	72	73	74	75	76	77	78	79
60	61	62	63	64	65	66	67	68	69
50	51	52	53	54	55	56	57	58	59
40	41	42	43	44	45	46	47	48	49
30	31	32	33	34	35	36	37	38	39
20	21	22	23	24	25	26	27	28	29
10	11	12	13	14	15	16	17	18	19
Entrée 00	01	02	03	04	05	06	07	08	09

Soccer mathématique

Rien de tel qu'une partie de soccer mathématique pour égayer le calcul rapide ! Voici un exemple pour le soccer à sept.

Mise au jeu : Le centre des Jaunes (1) est le plus rapide.

Le numéro 1 des Jaunes a déjoué les six premiers adversaires. Mais la gardienne des Rouges a été plus rapide que lui.

La gardienne des Rouges est stoppée par la joueuse numéro 2 des Jaunes. Cette dernière passe à l'attaque ; elle va tenter de déjouer la gardienne des Rouges revenue défendre son but.

1 Tu achètes l'article illustré dans chaque cas.
Pour payer, tu donnes les pièces placées à droite.
On te remet celles dessinées à gauche.

Complète les informations.

a) **Tu donnes**
? ¢
On te remet

b) **Tu donnes**
? $
On te remet

c) **Tu donnes**
67 ¢
? ¢
On te remet

d) **Tu donnes**
3,29 $
? $
On te remet

e) **Tu donnes** **? $**
1,94 $
On te remet

f) **Tu donnes** **? $**
4,88 $
On te remet

1 Indique le nombre où il faut arrêter chaque série d'opérations pour ne pas dépasser 100.

Vérifie tes prédictions dans le château.

a) 20 + 10 + 40 + 50 + 70 + 10

b) 15 + 20 + 25 + 30 + 15 + 20

c) 16 + 35 + 24 + 20 + 11 + 23

d) 34 + 18 + 12 + 21 + 14 + 12

POUR LES AS
e) 17 + 38 + 46 + 10 + 21 + 33

f) 14 + 29 + 18 + 24 + 15 + 19

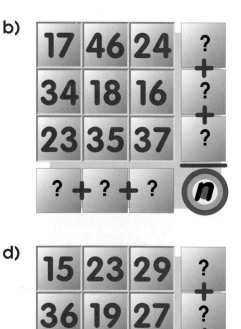

2 Additionne chaque colonne mentalement. La somme de ces résultats donne un nombre cible *n*.

Refais le même travail avec les rangées. Tu dois obtenir le même total dans les deux sens.

a)

2	7	8	? +
7	9	5	? +
4	8	6	?

? + ? + ?   *n*

b)

17	46	24	? +
34	18	16	? +
23	35	37	?

? + ? + ?   *n*

c)

25	23	18	? +
19	37	21	? +
35	28	32	?

? + ? + ?   *n*

d)

15	23	29	? +
36	19	27	? +
24	37	18	?

? + ? + ?   *n*

1 Effectue mentalement ces opérations. Chaque série de résultats forme un mot codé. Utilise la clé pour le déchiffrer.

a) 20 + 33   45 − 22   34 + 30   68 − 43   32 + 36

b) 79 − 55   41 + 30   86 - 64   32 + 50   84 − 61

c) 45 + 33   69 − 43   52 + 19   96 − 26   49 + 27

d) 95 − 20   40 + 31   50 − 15   39 + 57   41 − 18

POUR LES AS e) 39 + 25   91 − 47   37 + 44   71 − 42   17 + 46

f) 54 − 18   48 + 27   96 − 59   36 + 37   65 − 46

Tu obtiens 39 ? La lettre est F. Tu obtiens 44 ? C'est une lettre mystère…

CLÉ

Clé de décodage

20 Q 57	21 W 62	23 E 63	24 R 64	25 T 66
27 Y 67	29 U 68	30 I 70	32 O 71	33 P 72
34 A 73	37 S 75	38 D 76	39 F 78	40 G 80
42 H 82	43 J 83	45 K 84	46 L 85	48 Z 86
49 X 88	51 C 90	53 V 91	54 B 93	55 N 94
56 M 96	Si le nombre n'apparaît pas dans ce tableau, il s'agit d'une lettre mystère à découvrir.			

2 À toi maintenant de jouer au mini-prof ! Invente trois cas semblables à ceux du problème 1, en utilisant la même clé.

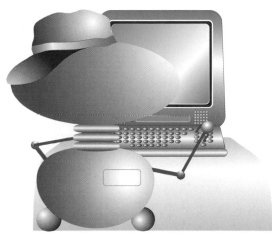

Division et bonne entente...

Les Jaloux forment une famille vraiment spéciale. Dès qu'un partage devient nécessaire, la tension dans le groupe monte d'un cran...

 Les jumeaux Victor et Vicky soupent chez leurs grands-parents.

a) Utilise tes centicubes pour représenter la pizza qui a été commandée. Décris cet arrangement à l'aide d'une phrase mathématique.

b) Il a été possible de partager la pizza en quatre sans qu'il y ait de dispute. Illustre comment.

Clé

Une pizza rectangulaire de 35 morceaux a été commandée.

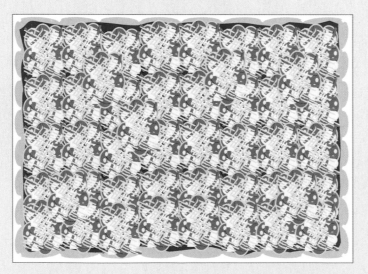

 c) Complète la phrase mathématique qui décrit ce qui a été fait.

$$\frac{35}{4} = $$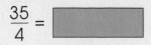

... chez les Jaloux

2 Trois Jaloux doivent ranger leurs vêtements dans cette commode. Est-il possible de donner à chacun sa part de tout l'espace de rangement ?

Illustre ta réponse.

3 Quelle fraction de l'espace de la commode est occupée par :

a) le compartiment 1 ?

b) le tiroir 2 ?

c) le compartiment 4 ?

d) le tiroir 5 ?

e) les tiroirs 2 et 3 ensemble ?

f) les compartiments 1 et 4 ensemble ?

4 Quatre Jaloux ont déneigé les entrées des maisons voisines. Pour leur après-midi de travail, on leur a remis 125 $.

a) Utilise ta planche à calcul pour répartir cette somme entre les quatre Jaloux.

b) Complète la phrase mathématique qui décrit cette situation.

$$\frac{125\ \$}{4} = \boxed{}$$

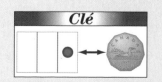

Clé

1 On rénove chez les Jaloux. Une grande pièce rectangulaire mesurant 24 m² doit être divisée en deux pièces rectangulaires : la chambre d'Ève et celle que partageront Léo et Adam.

Clé

1 m² ↔ ⬛

a) Avec tes centicubes, fais d'abord un plan de ces chambres, selon la clé suggérée. Assure-toi surtout que chaque Jaloux soit satisfait de l'espace qui lui est réservé…

b) Représente la situation à l'aide d'une phrase mathématique qui résume ta solution.

2 Le rez-de-chaussée de la maison des Jaloux est rectangulaire. Il se compose de 5 pièces rectangulaires. Fais le plan de ce rez-de-chaussée en utilisant des centicubes et en suivant les consignes ci-dessous :

- les rectangles représentent des pièces dont les mesures d'aire sont : 20 m², 16 m², 12 m², 8 m² et 7 m² ;

- il y a un seul couloir ;

- une pièce est carrée ;

- aucune pièce ne mesure 2 m x 6 m ;

- toutes les dimensions sont des nombres entiers de mètres.

Trouve les dimensions de chaque pièce.

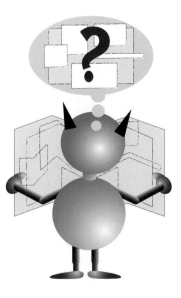

Voici une véritable *machine à mesurer des rectangles*. On l'appelle aussi la **table de Pythagore**. Observe-la bien.

 Trouve comment mesurer l'aire d'un rectangle de 6 cm sur 3 cm avec la table de Pythagore. Il y a plus d'une façon d'y arriver...

3 cm × 6 cm = **?** cm²

 Un rectangle mesurant 42 cm² d'aire a été construit sur six rangs. Utilise la table de Pythagore pour trouver le nombre de colonnes qui ont été nécessaires.

42 cm² ÷ 6 cm = **?** cm

3️⃣ Que représentent les nombres des cases rouges, sur la diagonale ?

 Si on prolongeait la table de Pythagore, quels nombres trouverait-on dans la 12ᵉ colonne ?

1	2	3	4	5	6	7	8	9	10
2	4	6	8	10	12	14	16	18	20
3	6	9	12	15	18	21	24	27	30
4	8	12	16	20	24	28	32	36	40
5	10	15	20	25	30	35	40	45	50
6	12	18	24	30	36	42	48	54	60
7	14	21	28	35	42	49	56	63	70
8	16	24	32	40	48	56	64	72	80
9	18	27	36	45	54	63	72	81	90
10	20	30	40	50	60	70	80	90	100

Dans le château des nombres, on peut découvrir des régularités numériques.

Une suite S.V.P.

Tout de suite : 2, 4, 6,...

1 Observe ces portions du château des nombres de 0 à 99.
Trouve les numéros des chambres rouges. Quelle est la régularité de chaque suite ?

70

72 **74** **75**

82

60

40

61

58

2 As-tu déjà observé les numéros civiques des maisons de ton voisinage ? Ces numéros sont organisés de façon particulière.

a) Note les numéros civiques de huit maisons consécutives de ton côté de la rue.

Fais de même avec huit maisons situées de l'autre côté.

b) À quel ensemble de nombres appartiennent les nombres situés de ton côté de la rue ?

c) Compare tes observations avec celles de tes camarades.

 Montrer à une calculette à compter par 10 est chose facile. Exécute cette suite de touches.

| 0 | + | 1 | 0 | = | = | = | = |

Ta calculette sait maintenant compter par bonds de 10 à partir de 0! Jusqu'à quel nombre pourrait-elle se rendre de cette manière?

 Prédis ce qu'affichera l'écran de ta calculette après chacune des suites de touches ci-dessous.

a) | 1 | 4 | 1 | + | 2 | = | = | = | = | = |

b) | 5 | 0 | + | 2 | 5 | = | = | = | = | = |

c) | 7 | 8 | + | 1 | 1 | = | = | = | = | = |

d) | 5 | 8 | 0 | + | 1 | 5 | = | = | = | = |

Prédis les cinq premiers résultats si ta calculette compte :

a) par bonds de 20 à partir de 500 ;

b) par bonds de 100 à partir de 555 ;

POUR LES AS **c)** par bonds de 30, à reculons, à partir de 100. Une surprise t'attend...

Vérifie ensuite tes prédictions avec ta calculette.

1. Des arrangements rectangulaires comme ceux-ci aident à trouver les propriétés du nombre 36.

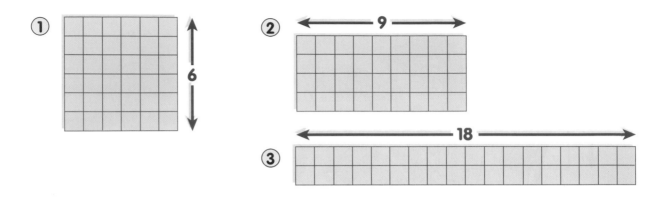

① 6

② 9

③ 18

a) Donne 3 informations qui ont été enregistrées dans la fiche descriptive de 36 à partir de chacun de ces arrangements rectangulaires.

b) Quelles phrases mathématiques décrivent symboliquement chacun de ces arrangements ?

c) Quels sont les arrangements qui manquent pour aider à illustrer les informations de la fiche descriptive de 36 ?

36

Ses facteurs

1, 2, 3, 4, 6, 9, 12, 18, 36

Pair ☒
Impair ▪
Premier ▪
Composé ☒
Carré ☒

2. Utilise tes centicubes pour former des arrangements rectangulaires qui t'aideront à dresser la fiche descriptive de

a) 48   b) 49   c) 41

Utilise une base de données pour créer tes fiches...

De l'autre côté...

Depuis que les humains peuvent reconnaître leur reflet dans l'eau, l'image symétrique les fascine.

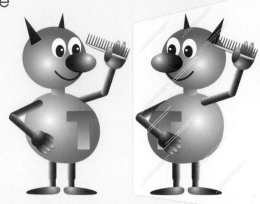

 Troublefête se regarde dans le miroir. Qu'est-ce qui cloche sur l'illustration ?

La nature produit elle-même des formes symétriques.

 Plusieurs objets fabriqués ont aussi la propriété d'être symétriques.

Parmi les objets fabriqués illustrés ci-dessous, lesquels :

a) seraient plus utiles s'ils étaient symétriques ?

b) seraient plus beaux s'ils étaient symétriques ?

Vase

Tapis

Balance

Pelle

Tasse

Façade

Chemise

... du miroir

3 À ton tour de créer des formes symétriques.
Récupère quelques feuilles de papier dans le
bac à recyclage. Utilise aussi de la peinture
ou de la gouache.

a) Plie d'abord ta feuille
en deux, comme ceci.

b) Dépose ensuite quelques
gouttes de couleur près du pli.

c) Replie ta feuille. Étends
la couleur en passant
doucement ta main sur
la feuille.

d) Déplie la feuille et admire ton
oeuvre !

4 À quoi te fait penser le dessin
symétrique que tu as obtenu ?

Tes camarades pourraient bien y
voir des formes différentes.
Vérifie.

Observe la figure encadrée. À quel objet familier te fait-elle penser ?

 Retrouve le cercle, le carré, le triangle et l'hexagone qui ont servi à construire la figure encadrée. Aide-toi de ton miroir.

2. Prends ton miroir. Pose-le de différentes façons sur la figure encadrée.

   a) Réussis-tu à voir les autres figures de la page ? Sur chacune, trouve où se situe la ligne du miroir.

   b) En as-tu fait apparaître d'autres ?

1 Un carton est vert côté recto, et bleu au verso. Deux pièces ont
été découpées et retournées. Sur du papier quadrillé, dessine
les autres après les avoir retournées.

2 Copie les lettres ci-dessous. Trace tous les axes de symétrie
de chacune de ces lettres.

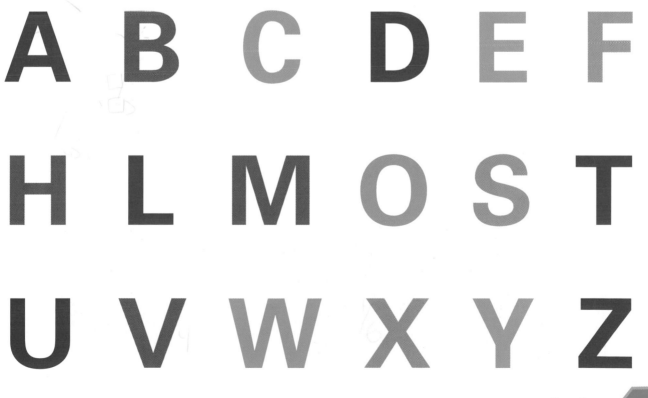

1 Le miroir est un merveilleux outil pour produire une symétrie.

Le miroir permet d'obtenir une figure symétrique à partir du modèle.

Modèle

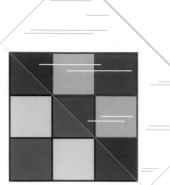

La ligne du miroir correspond à l'axe de symétrie.

On peut obtenir chaque figure symétrique placée à l'intérieur du cadre en plaçant un miroir sur l'un des quatre modèles situés à l'extérieur. Trouve comment. Par exemple, le cas 1 a été obtenu à partir du modèle d).

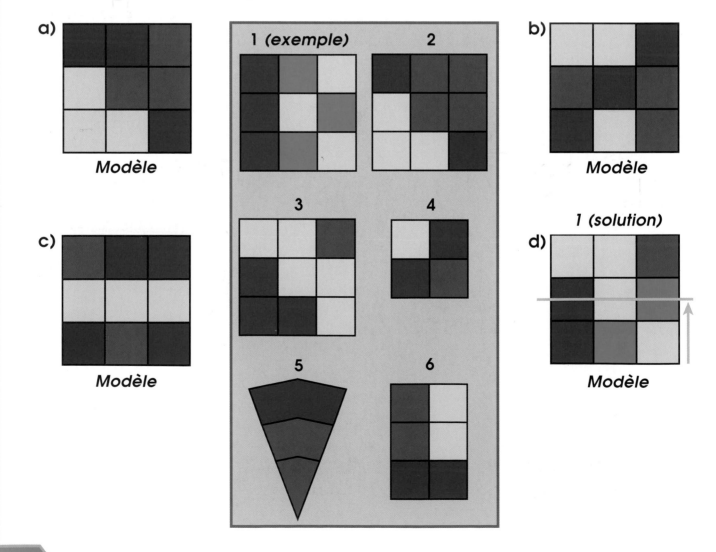

a)

Modèle

c)

Modèle

1 (exemple)   2

3   4

5   6

b)

Modèle

d)   1 (solution)

Modèle

1 Construis chaque modèle avec des centicubes. Place le miroir sur ton modèle pour obtenir chaque image symétrique suggérée. Trace l'axe de symétrie sur les fiches complémentaires 3 et 4. Certaines images ont subi une *rotation*.

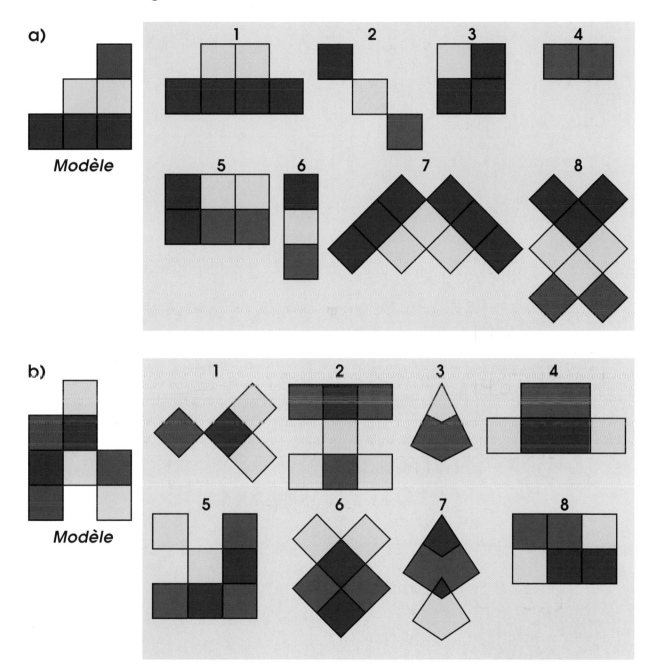

a) **Modèle**

1 2 3 4

5 6 7 8

b) **Modèle**

1 2 3 4

5 6 7 8

2 Deviens un mini-prof! Invente un problème semblable au numéro 1. Ces figures sont plus faciles à produire à l'aide d'un logiciel de dessins comportant une grille magnétique.

1 Chaque grille contient des formes et un axe de symétrie.
Sur du papier quadrillé, reproduis les dessins ci-dessous.
Rends chaque dessin symétrique par rapport à l'axe.

a)

b)

c)

d)

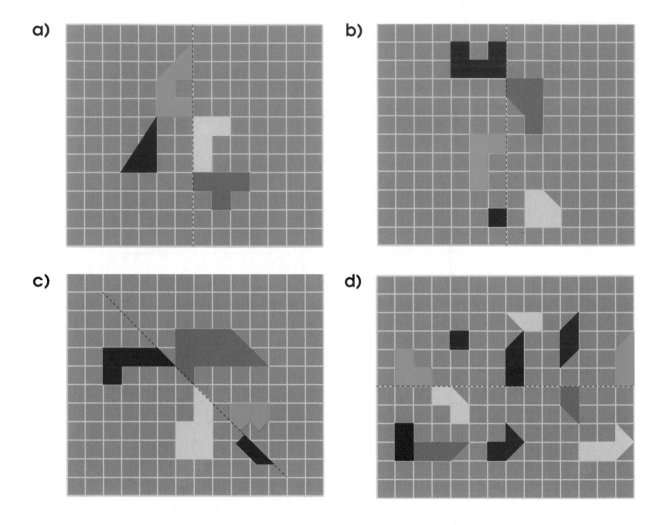

2 Invente un problème semblable
à ceux du numéro 1. Si tu le peux,
fais-le à l'aide d'un logiciel de
dessin. La grille magnétique et
les fonctions miroir t'aideront
grandement.

1 À partir d'un motif de base, il a été possible
d'obtenir cette jolie frise. Il a suffi d'effectuer
quelques symétries successives, de gauche à droite.

a) Retrouve le motif qui a été répété
et la position des axes de symétrie
utilisés.

b) Reproduis ce motif sur papier
quadrillé.

c) Vois-tu comment
réaliser une
courtepointe
en continuant
d'utiliser la symétrie ?

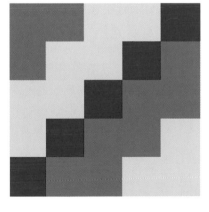

2 Réalise tes propres frises
a partir des motifs suggérés.
Utilise un logiciel de dessin
ou du papier quadrillé.

a)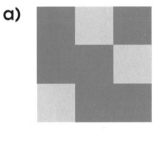

b)

c)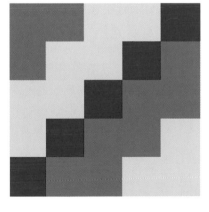

3 Invente des motifs à ton goût. Réalise
des frises ou des courtepointes. Montre-les
ensuite à tes camarades et demande-leur
de retrouver le motif de base.

1 Voici quatre drapeaux symétriques, mais ils sont incomplets.
Trouve les pièces manquantes et identifie chaque drapeau.

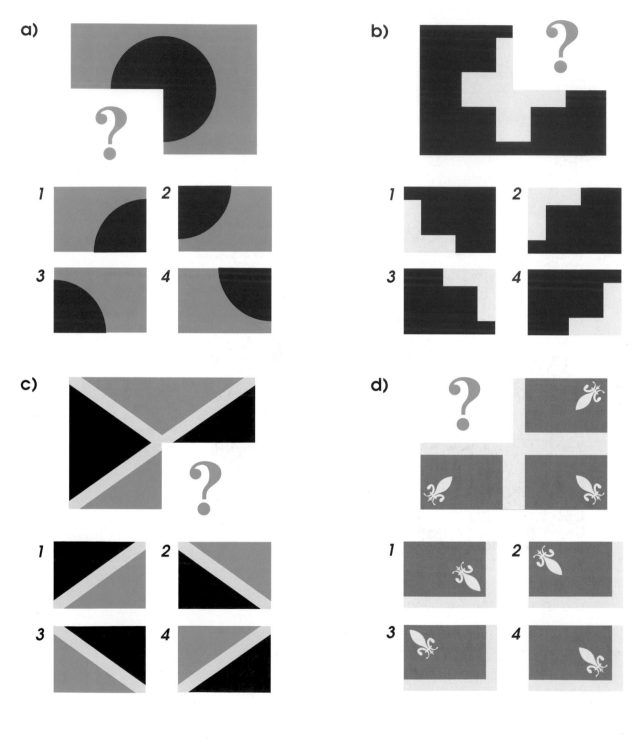

a)

b)

c)

d)

2 Quels sont ces mots qui se reflètent dans un miroir ?
Fais une prédiction, puis vérifie.

a) LOGICIEL b) PRISONNIER c) DINOSAURE

1 Un carton est bleu côté recto, et vert au verso. Des pièces ont été découpées et retournées. Trouve quelle pièce provient de chaque trou.

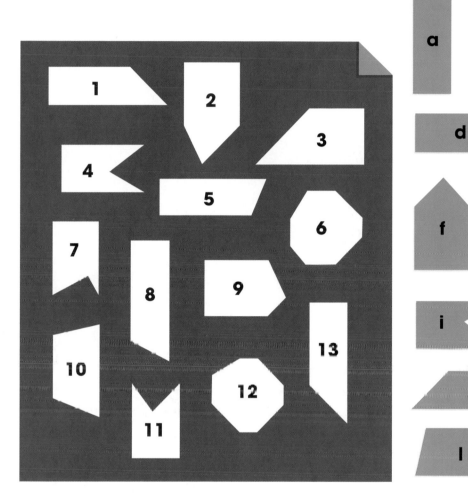

2 Dessiner un problème comme celui du numéro 1, à la main, est pratiquement impossible. Mais grâce à la technologie, c'est devenu un jeu d'enfant!

Utilise un logiciel de dessin dans lequel se trouvent des fonctions miroir. Trouve une façon simple de créer ton problème. Soumets-le à tes camarades.

Sans repères...

1 Le magicien Descartes se vante de sa prodigieuse puissance télépathique. Une personne, au hasard, se lève et regarde le numéro de son siège. Le magicien annonce aussitôt ce numéro :

○ numéro 215 ;

○ numéro 134 ;

○ numéro 272 ;

○ numéro 276 ;

○ numéro ▭

Connaît-il vraiment tous les numéros par coeur ?

2 Le magicien Descartes aime aussi présenter le tour suivant. Il étale sur une table les 52 cartes d'un jeu ordinaire, faces cachées. Quand on pointe une carte, il la nomme aussitôt :

○ le 7 de pique ;

○ le 10 de coeur ;

○ le 4 de carreau ;

○ le ▭

Quel est son truc ?

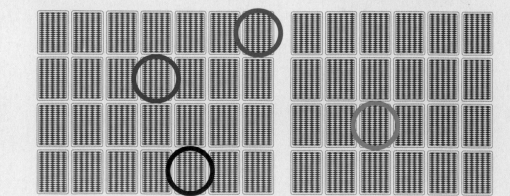

... on s'y perd !

 3 Voici une carte de la ville où sont nés Caboche, Troublefête et D3D4.

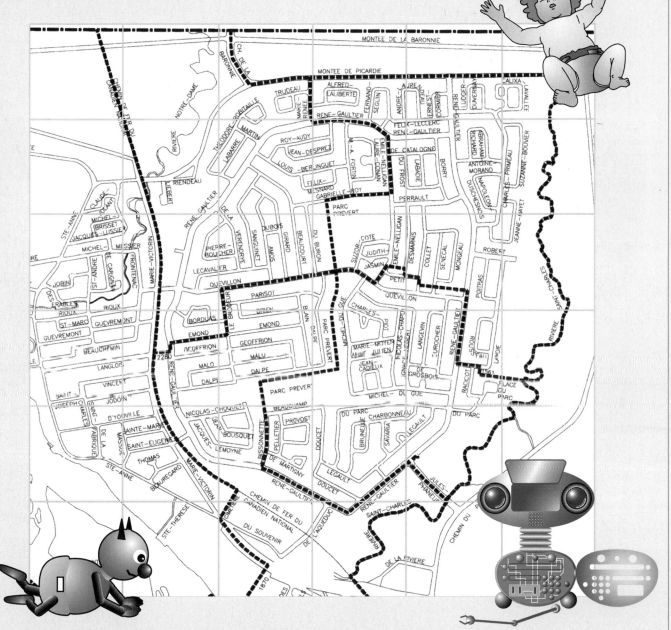

Trouve les endroits où sont nés ces personnages, sans perdre la carte...

a) Caboche a vu le jour rue Quévillon, coin Collet.

b) Troublefête est né rue René-Gaultier, coin du Parc.

c) D3D4 a été usiné sur la rue D'Youville, coin Massue.

À Prosperville, les tours à bureaux poussent comme des champignons. Quand vient le temps d'une livraison, la vie à Prosperville est un peu compliquée...

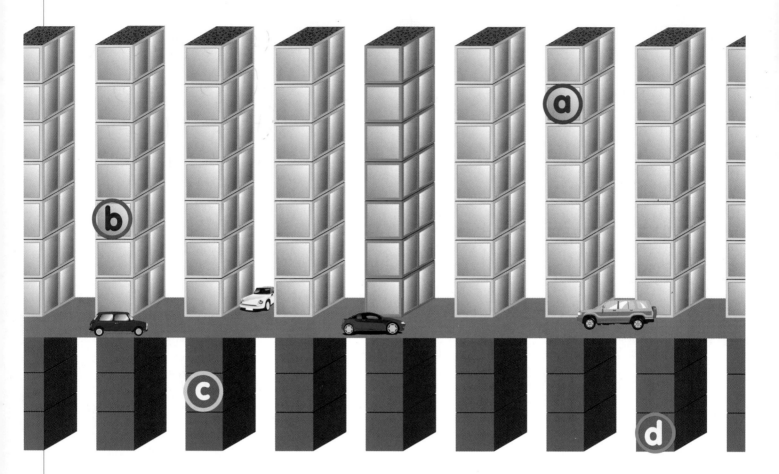

 Décris l'endroit où se trouve chaque véhicule.

2 Imagine que tu travailles dans l'un ou l'autre des lieux marqués d'une lettre. Quels renseignements dois-tu fournir à la personne qui désire te livrer un colis...

si tu te trouves en ⓐ ?

si tu te trouves en ⓑ ?

si tu te trouves en ⓒ ?

si tu te trouves en ⓓ ?

Les deux illustrations sur cette page sont équivalentes. L'illustration 2 est plus simple et plus facile à dessiner que l'illustration 1.

Illustration 1

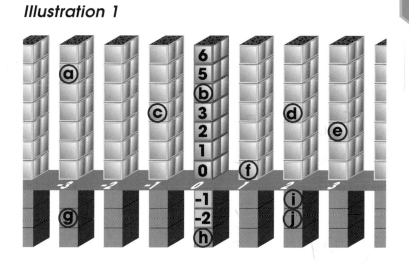

a) Voici les coordonnées de cinq lettres logées dans les tours à bureaux. Replace-les en ordre et découvre le mot qu'elles forment.

(2, −1) (0, −3) (3, 2) (1, 0) (−1, 3)

b) Trouve les coordonnées de chaque forme géométrique dans la grille ci-contre.

Illustration 2

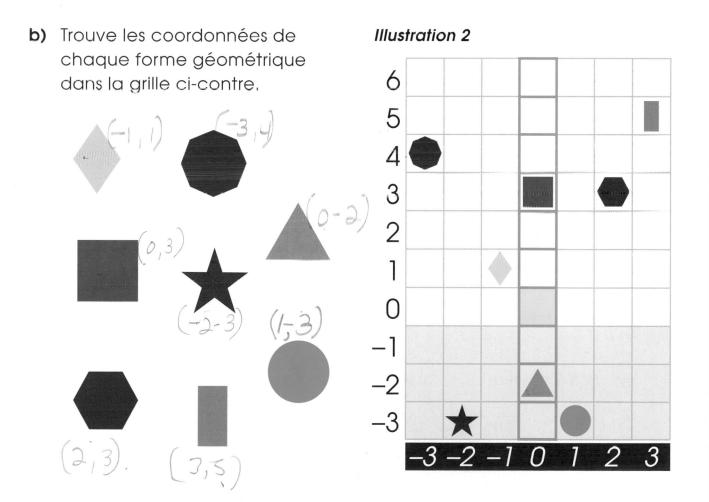

c) Une lettre de l'illustration 1 et une forme de l'illustration 2 ont les mêmes coordonnées. Lesquelles ?

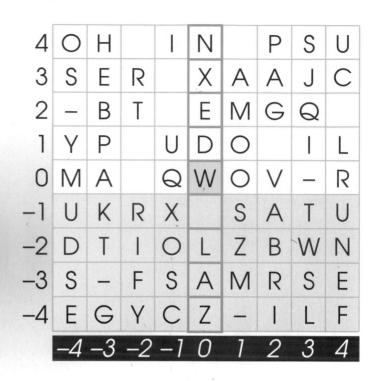

1 Trouve les coordonnées de chacune des lettres suivantes.

W, X, Y, Z.

w (0 0) (3 -2)

x (0 3) (-1 -1)

y (-4, 1) (-2, -4)

z (0 -4) (1 -2)

	-4	-3	-2	-1	0	1	2	3	4
4	O	H		I	N		P	S	U
3	S	E	R		X	A	A	J	C
2	–	B	T		E	M	G	Q	
1	Y	P		U	D	O		I	L
0	M	A		Q	W	O	V	–	R
-1	U	K	R	X		S	A	T	U
-2	D	T	I	O	L	Z	B	W	N
-3	S	–	F	S	A	M	R	S	E
-4	E	G	Y	C	Z	–	I	L	F

-4 -3 -2 -1 0 1 2 3 4

2 Voici des mots codés. Leurs coordonnées se réfèrent à la grille cartésienne du numéro 1.

Trouve les lettres représentées. Remets-les en ordre pour découvrir un mot. Les mots font partie du vocabulaire mathématique que tu connais.

a) (2, –2) (0, 2) (–1, 1) (4, 3)

b) (–3, –4) (4, –2) (–1, 4) (–2, 2) (2, 0)

c) (–2, 3) (0, –3) (4, –1) (–1, 0) (–3, –2)

d) (4, –3) (0, 4) (2, –3) (–3, 2) (–4, 4) (–4, 0)

e) (1, –3) (–1, 4) (–4, 3) (0, 2) (2, –3) (2, 4)

f) (3, 1) (0, –4) (–2, –2) (4, –2) (0, –3) (–4, –2) (–3, 3)

Fiche complémentaire *Géométrie* 12

1 **a)** Reproduis cette grille. Place chaque lettre
au bon endroit dans la grille.

A (−1, −2)   E (−2, 0)

E (2, 1)   E (3, −1)

I (0, −1)   M (1, 0)

N (3, 2)   P (2, −2)

R (4, 0)   R (−2, −3)

S (−1, 1)   S (0, −4)

T (4, 3)   T (−3, 2)

U (1, −3)   U (−2, 3)

V (−3, −4)   ! (4, -4)

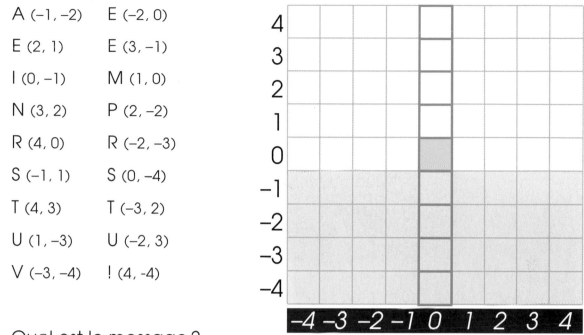

b) Quel est le message ?

2 Quelles sont les coordonnées du point qui manque
pour finir :

a) le rectangle vert ?

b) le carré rouge ?

c) l'étoile rose ?

d) le W bleu ?

e) le triangle jaune ?

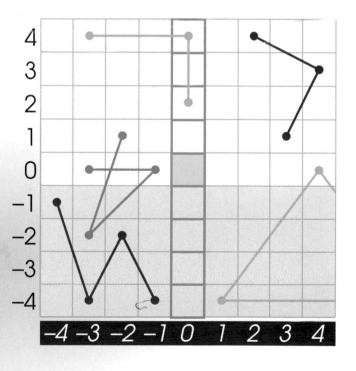

1 Un diagramme à bandes ressemble beaucoup à une grille cartésienne. Pour le lire, tu dois coordonner deux informations : celle notée au bas du diagramme et celle de la colonne de gauche. À partir des données du tableau, reproduis le diagramme à bandes et complète-le.

Tableau des données	
Lac Supérieur	406 m
Lac Michigan	282 m
Lac Huron	229 m
Lac Érié	64 m
Lac Ontario	244 m

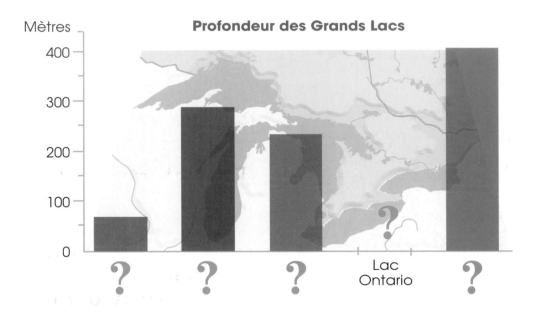

Profondeur des Grands Lacs

2 Voici un autre diagramme à reproduire. Lui aussi oblige à coordonner deux informations.

a) À minuit, le soir du 1er mars, la température était de –2 °C. Complète ton diagramme.

b) Sur ton diagramme, dessine la ligne brisée représentant les données suivantes, recueillies le 3 mars :

à 00 h : –6 °C

à 06 h : 0 °C

à 12 h : +3 °C

à 18 h : –2 °C

à 24 h : –5 °C

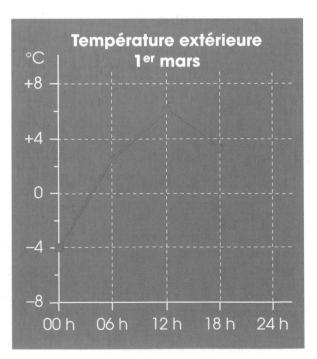

Température extérieure
1er mars

Course au trésor

Le jeu suivant t'aidera à devenir un as du repérage cartésien. Il se joue à deux.

But du jeu

Trouver avant son adversaire le matériel nécessaire pour gagner une course au trésor.

Préparatifs

Chaque joueuse ou joueur dessine d'abord les quatre objets ci-dessous dans une grille comme celle du haut. La position des objets doit être gardée secrète.

Matériel que je cache

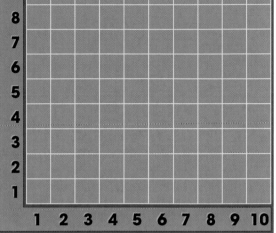

La lunette

Le plan *Le bateau*

La pelle

Conseils

1. Note tous les coups de ton adversaire dans une grille semblable à celle du haut.

2. Note tous tes coups dans une grille semblable à celle du bas.

Déroulement

À tour de rôle, on désigne par ses coordonnées une case de la grille du bas ; on espère ainsi toucher l'un des objets recherchés. Chaque fois, l'adversaire commente le coup de l'une des façons suivantes :

- « Manqué ! » si aucun objet n'apparaît à cet endroit ;

- « Touché ! » si un objet s'y trouve ;

- « Trouvé ! » si toutes les cases de l'objet sont touchées.

La victoire survient quand les quatre objets de l'adversaire sont trouvés. Il faut cependant que les deux joueurs ou joueuses aient joué un même nombre de fois.

Matériel que je cherche

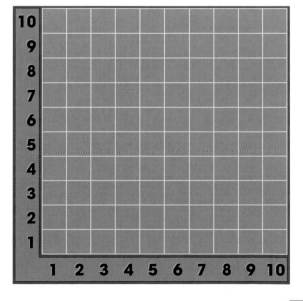

Cartonnerie et...

As-tu remarqué que les boîtes de carton sont généralement fabriquées à partir d'une seule feuille ?

1 Prends deux boîtes de carton dans le bac à recyclage. Défais ces boîtes sans les déchirer. Dessine un plan réduit de chacune sur du papier pointé.

2 Voici des modèles réduits de boîtes de carton :

a)

b)

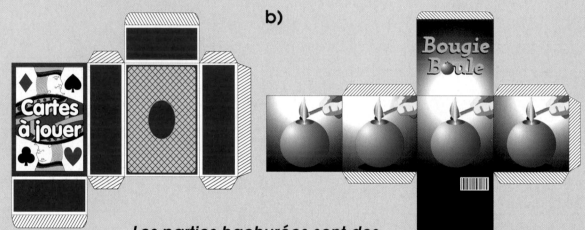

Les parties hachurées sont des rabats pour coller les boîtes.

c)

d)

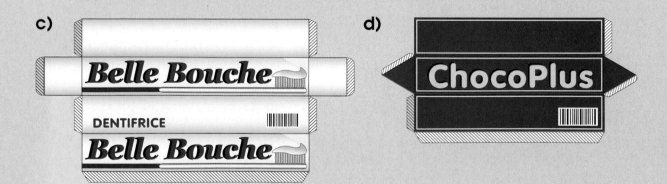

Quel est le nom du solide ressemblant à chaque boîte illustrée sur cette page ?

... mesures en tous genres

Sur les modèles réduits de la page précédente, chaque centimètre représente 3 centimètres dans la réalité.

3 Donne les mesures réelles :

    a) de la longueur du tube de pâte dentifrice.

    b) de la largeur du jeu de cartes.

    c) de l'épaisseur du jeu de cartes.

    d) de la longueur de la tablette de chocolat.

    e) du diamètre de la bougie.

4 À la cartonnerie, le coût de fabrication d'un modèle de boîte dépend de la quantité de carton utilisée.

    a) Comment peux-tu mesurer cette quantité ?

    b) Classe les quatre modèles de la page précédente du moins cher au plus cher. Ne tiens pas compte des rabats.

5 Fais le plan des boîtes qui permettront d'emballer les objets suivants. Si c'est possible, utilise la grille magnétique d'un logiciel de dessin.

    a) une calculette
    b) 12 crayons à la mine
    c) 200 centicubes emboîtés comme on veut

Te souviens-tu des trois petits cochons de *Défi mathématique* en 2ᵉ année ? Tu les avais aidés à bâtir et à mesurer leur maison.

1 Avec tes centicubes, construis chaque modèle de maison.

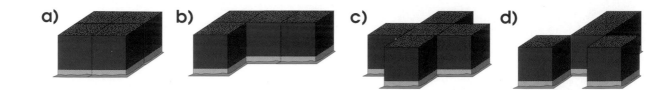

a)   b)   c)   d)

2 Mesure la longueur des fondations qui servent de base à chacun des modèles du numéro 1. Utilise le côté d'un carré comme unité.

a) ▭ : 8 unités   b) ▭ : ?

c) ▭ : ?   d) ▭ : ?

3 Pour chaque modèle du numéro 1, trouve d'abord le nombre de pièces. S'il faut un seau de peinture pour couvrir chaque mur extérieur carré, combien faudra-t-il de seaux en tout ?

a) ◼ : 4 pièces   b) ◼ : ?

🪣 : 8 seaux   🪣 : ?

c) ◼ : ?   d) ◼ : ?

🪣 : ?   🪣 : ?

4 Du goudron doit être appliqué sur le toit. Un seau de goudron couvre un carré du toit. Pour chaque modèle du numéro 1, trouve le nombre de seaux de goudron nécessaires.

a) 🪣 : 4 seaux   b) 🪣 : ?   c) 🪣 : ?   d) 🪣 : ?

1 À partir des informations fournies, ajoute les éléments qui manquent. Tous les modèles de maison sont sur un seul étage. Au besoin, reproduis le plan du toit sur du papier quadrillé.

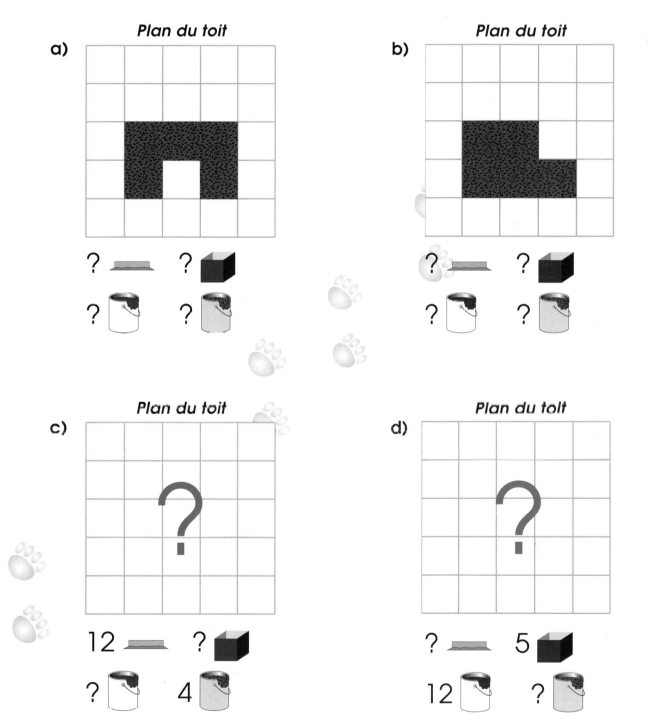

a) **Plan du toit**

? ━━━ ? ◼

? 🪣 ? 🪣

b) **Plan du toit**

? ━━━ ? ◼

? 🪣 ? 🪣

c) **Plan du toit**

?

12 ━━━ ? ◼

? 🪣 4 🪣

d) **Plan du toit**

?

? ━━━ 5 ◼

12 🪣 ? 🪣

2 Observe bien les résultats obtenus au numéro 1. Comment expliquer la régularité ?

Les trois petits cochons préfèrent habiter un condo... Construis d'abord chaque modèle et donne les renseignements qui manquent. Au besoin, reproduis le plan du toit sur du papier quadrillé.

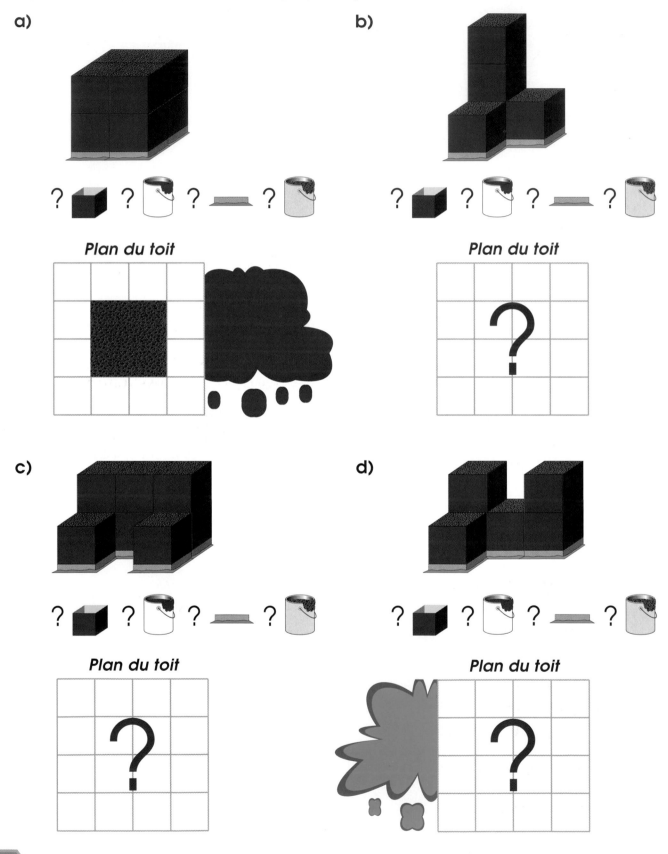

a)

? ■ ? 🥫 ? ▬ ? 🥫

Plan du toit

b)

? ■ ? 🥫 ? ▬ ? 🥫

Plan du toit

?

c)

? ■ ? 🥫 ? ▬ ? 🥫

Plan du toit

?

d)

? ■ ? 🥫 ? ▬ ? 🥫

Plan du toit

?

Fiche complémentaire *Géométrie* 19

À la page précédente, tu as effectué différents types de mesure. Ces mesures portent des noms particuliers en mathématiques.

Les exercices qui suivent te les présentent. Essaie de mémoriser ces noms.

Construis d'abord le modèle de droite avec tes centicubes. Imagine que ce modèle représente un édifice et donne les renseignements qui manquent.

① Le nombre de pièces correspond au **volume** du modèle. On mesure souvent le volume avec des **cubes-unités**.

Le volume de ta construction est de **?** .

On note cela ainsi : **?** cm³.

② La mesure de la surface du toit correspond à l'**aire** du dessus du modèle. On mesure souvent l'aire avec des **carrés-unités**.

L'aire du dessus de ta construction est de **?** .

On note cela ainsi : **?** cm².

③ La mesure de la surface des murs correspond à l'**aire latérale** du modèle. On mesure aussi l'aire latérale avec des **carrés-unités**.

L'aire latérale de ta construction est de **?** .

On note cela ainsi : **?** cm².

④ La mesure de la longueur des fondations correspond au **périmètre** de la base du modèle. On mesure le périmètre avec des **longueurs-unités**.

Le périmètre de la base de ta construction est de **?** .

On note cela ainsi : **?** cm.

1 Les dessins qui suivent te rappellent des objets familiers. Avant de vérifier leur mesure réelle :

a) note ceux qui ont une longueur d'environ 1 m ;

b) note ceux qui ont une longueur d'environ 1 cm.

2 À la maison, trouve trois autres objets mesurant environ 1 m et trois autres qui mesurent environ 1 cm.

Les blocs de base dix peuvent devenir des unités de mesure par la magie d'un simple bricolage.

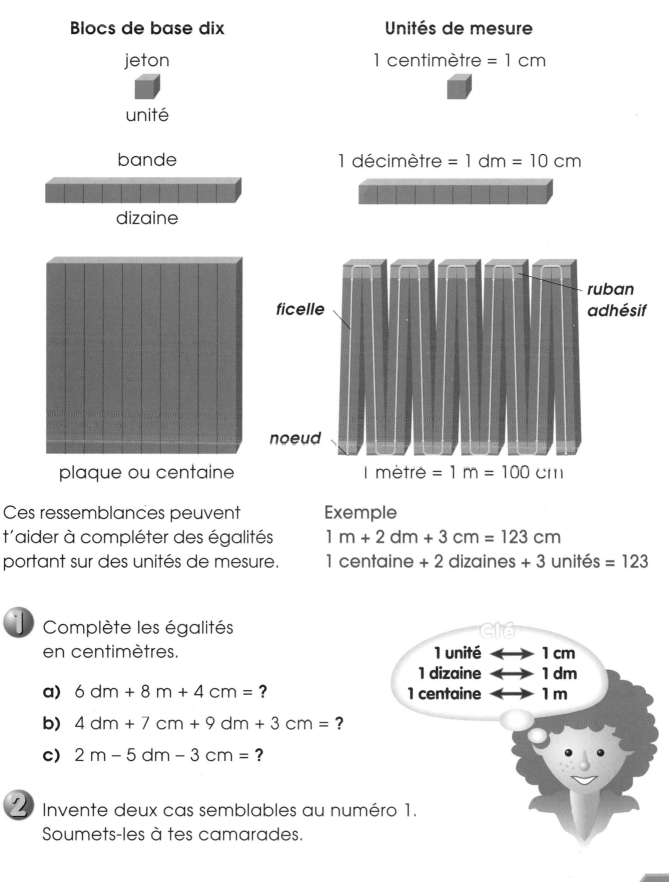

Blocs de base dix

jeton

unité

bande

dizaine

plaque ou centaine

Unités de mesure

1 centimètre = 1 cm

1 décimètre = 1 dm = 10 cm

ficelle

ruban adhésif

noeud

1 mètre = 1 m = 100 cm

Ces ressemblances peuvent t'aider à compléter des égalités portant sur des unités de mesure.

Exemple

1 m + 2 dm + 3 cm = 123 cm

1 centaine + 2 dizaines + 3 unités = 123

1 Complète les égalités en centimètres.

a) 6 dm + 8 m + 4 cm = ?

b) 4 dm + 7 cm + 9 dm + 3 cm = ?

c) 2 m – 5 dm – 3 cm = ?

2 Invente deux cas semblables au numéro 1. Soumets-les à tes camarades.

clé

1 unité	⟷	1 cm
1 dizaine	⟷	1 dm
1 centaine	⟷	1 m

1 Avant d'effectuer chaque mesure dans l'unité demandée, écris ton estimation.

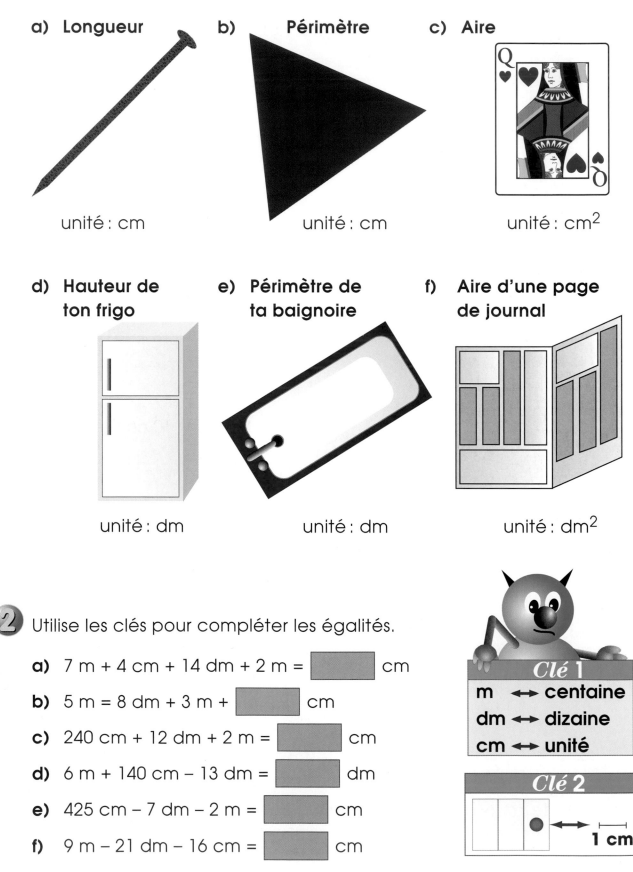

a) Longueur

unité : cm

b) Périmètre

unité : cm

c) Aire

unité : cm²

d) Hauteur de ton frigo

unité : dm

e) Périmètre de ta baignoire

unité : dm

f) Aire d'une page de journal

unité : dm²

2 Utilise les clés pour compléter les égalités.

a) 7 m + 4 cm + 14 dm + 2 m = ▭ cm

b) 5 m = 8 dm + 3 m + ▭ cm

c) 240 cm + 12 dm + 2 m = ▭ cm

d) 6 m + 140 cm − 13 dm = ▭ dm

e) 425 cm − 7 dm − 2 m = ▭ cm

f) 9 m − 21 dm − 16 cm = ▭ cm

Clé 1

m ↔ centaine
dm ↔ dizaine
cm ↔ unité

Clé 2

1 cm

1 À partir des indices fournis, construis un modèle qui convient. Complète les données.

a)

Plan du toit	Plan des quatre côtés
?	

Volume : 5 cm³

Périmètre (base) : **?** cm

b)

Plan du toit	Plan des quatre côtés
?	

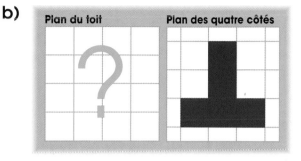

Volume : 7 cm³

Périmètre (base) : **?** cm

c)

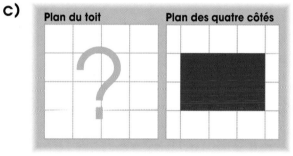

Volume : 6 cm³

Périmètre (base) : **?** cm

d)

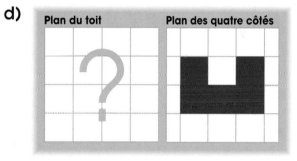

Volume : 10 cm³

Périmètre (base) : **?** cm

2 Dans ce tableau, toutes les mesures d'une même ligne sont égales. Reproduis le tableau puis complète-le.

mètres	décimètres	centimètres
1	10	100
5	?	?
?	?	300
?	40	?
un demi	?	?
?	?	250

Construire...

Sans le savoir, les abeilles font de la géométrie depuis plusieurs millions d'années...

Les abeilles ouvrières fabriquent d'abord des cylindres de cire placés les uns contre les autres. Lentement, ces cylindres se déforment pour devenir des **prismes** à base hexagonale.

Les cercles laissent des trous, mais les hexagones couvrent tout l'espace. Tout comme l'hexagone, plusieurs formes géométriques permettent de couvrir l'espace sans laisser de trous. Le résultat s'appelle un **dallage**.

 Avec des **losanges**, on peut recouvrir entièrement la grille dessinée à droite. Sur du papier quadrillé, complète le dallage. Essaie d'abord sur ton géoplan.

② Pense aux formes simples que tu connais. Lesquelles pourraient former un dallage sur ton géoplan ?

... sur du solide !

Debout, à plat, de profil ou en perspective, il y a des solides géométriques partout autour de toi. Les problèmes et les casse-tête de ce bloc vont t'aider à mieux maîtriser l'espace.

 Avec les blocs indiqués dans la fenêtre, forme le modèle qui a été réduit.

 Pour obtenir le profil ci-dessous, il a fallu disposer les 4 blocs de la fenêtre l'un derrière l'autre. Replace ces blocs pour reproduire ce profil.

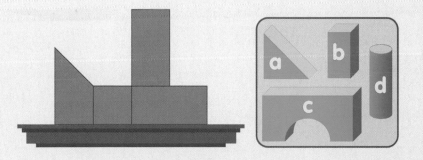

Identifie les blocs dans l'ordre où ils sont placés, de l'avant vers l'arrière.

5 Avec ton ensemble complet de 18 blocs, tu peux ériger le château dessiné à droite. Trouve la position des 4 cubes. Où se trouvent les 4 prismes rectangulaires ? Et les 4 prismes tronqués ?

1 Utilise tes géoblocs pour obtenir chaque modèle qui a été réduit.

a)

b)

c)

d)

e)

f)

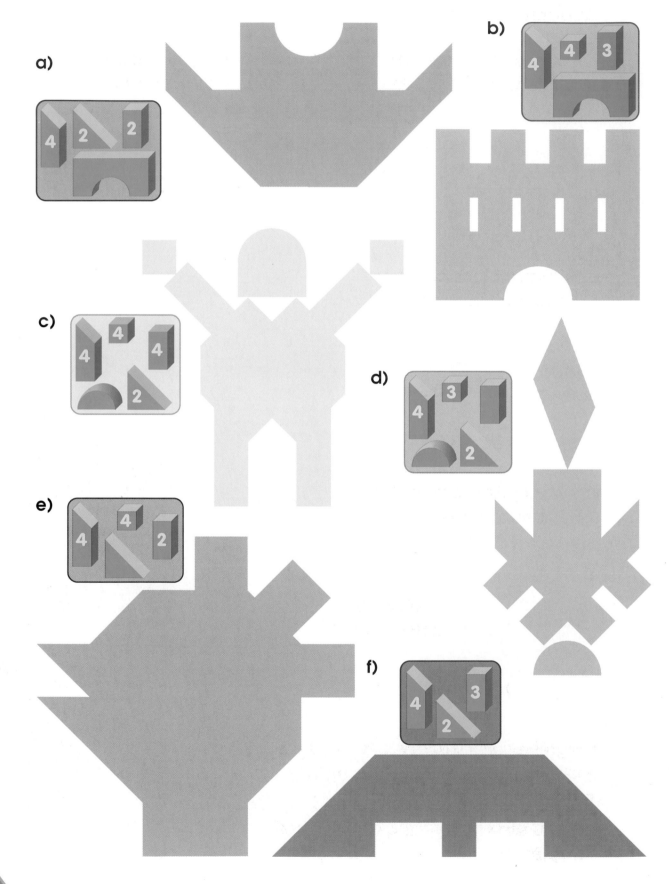

1 Réalise chaque construction en respectant les consignes. Les modèles fournis sont réduits. Trace les plans sur du papier brouillon.

a) Deux blocs couchés couvrent un triangle.

2 solutions différentes

b) Deux blocs couchés couvrent un carré.

2 solutions différentes

c) Quatre blocs couchés couvrent un triangle.

2 solutions différentes

d) Deux prismes triangulaires et deux prismes tronqués couvrent un carré.

2 solutions différentes

2 Malgré les apparences, ce château symétrique contient un ensemble complet de 18 géoblocs.

Mais où sont donc passés les prismes tronqués ?

1 Dispose les blocs de chaque fenêtre de façon à obtenir le profil correspondant. Identifie les blocs dans l'ordre où ils sont placés, de l'avant vers l'arrière.

a)

b)

c)

d)

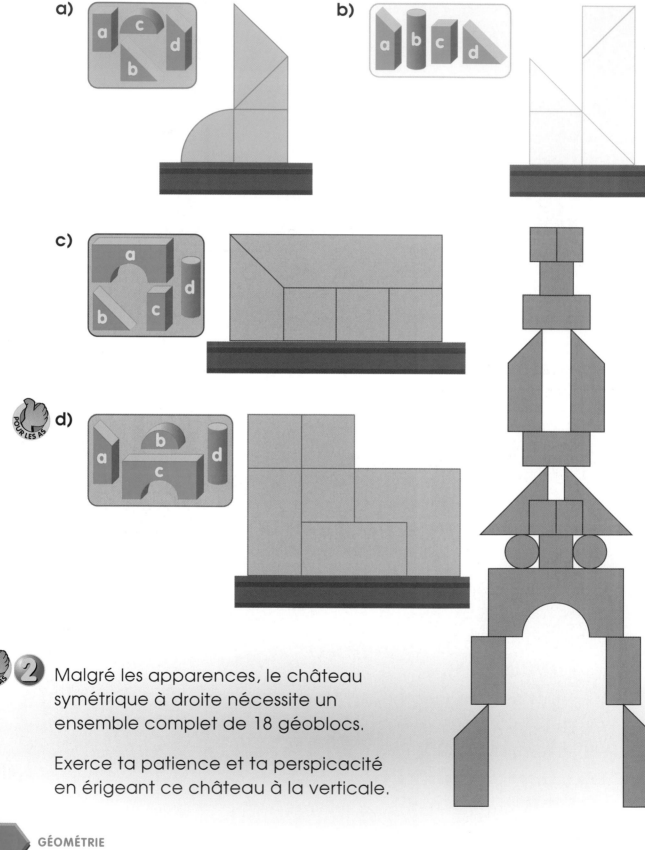

2 Malgré les apparences, le château symétrique à droite nécessite un ensemble complet de 18 géoblocs.

Exerce ta patience et ta perspicacité en érigeant ce château à la verticale.

1 Voici la carte d'identité du prisme rectangulaire.
Trouve les renseignements qui manquent.

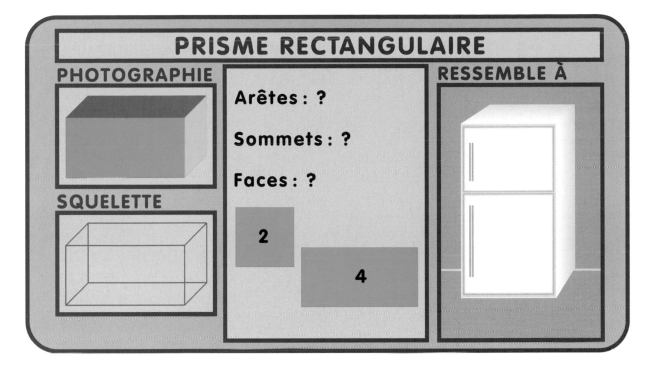

PRISME RECTANGULAIRE

PHOTOGRAPHIE

SQUELETTE

Arêtes : ?

Sommets : ?

Faces : ?

2

4

RESSEMBLE À

2 Trouve les renseignements de la carte d'identité
du prisme triangulaire.

PHOTOGRAPHIE

SQUELETTE

?

?

Arêtes : ?

Sommets : ?

Faces : ?

RESSEMBLE À

?

1 Utilise tes géoblocs pour obtenir chaque modèle, qui a été réduit.

a)

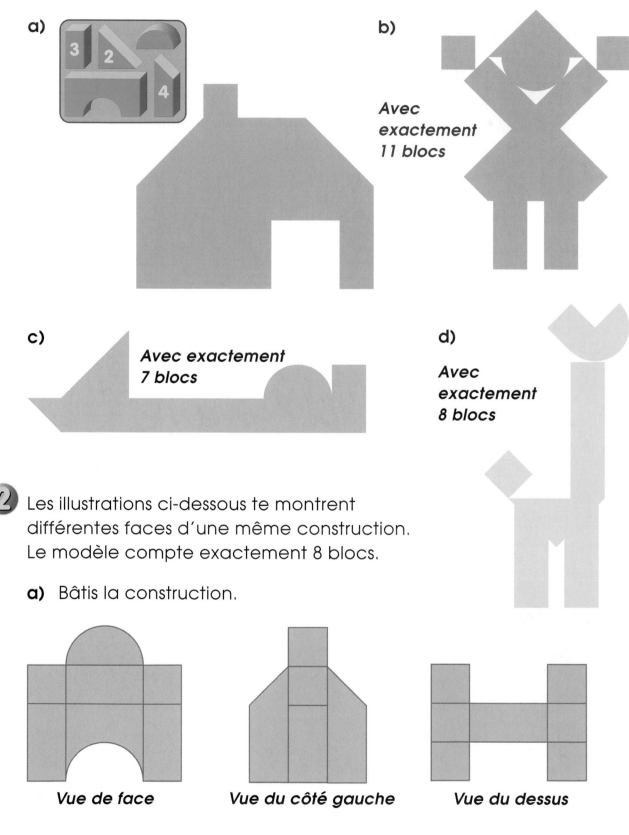

b) **Avec exactement 11 blocs**

c) **Avec exactement 7 blocs**

d) **Avec exactement 8 blocs**

2 Les illustrations ci-dessous te montrent différentes faces d'une même construction. Le modèle compte exactement 8 blocs.

a) Bâtis la construction.

Vue de face   *Vue du côté gauche*   *Vue du dessus*

b) Quels blocs ont été nécessaires ?

1 Utilise tes géoblocs pour obtenir chaque modèle, qui a été réduit.

a)

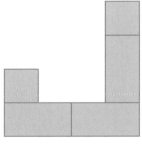

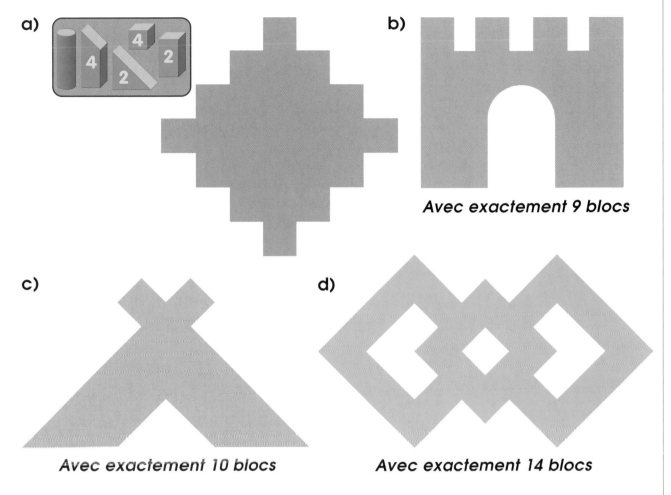

b)

Avec exactement 9 blocs

c)

Avec exactement 10 blocs

d)

Avec exactement 14 blocs

 2 Les illustrations ci-dessous te montrent différentes faces d'une même construction. Le modèle compte exactement 9 blocs.

a) Bâtis la construction.

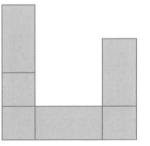

Vue de face   **Vue du côté gauche**   **Vue du dessus**

b) Quels blocs ont été nécessaires ?

1 Observe ce château qui a
été érigé avec 7 géoblocs.
On a commencé à en
dessiner le plan à l'échelle.
Un carré de la grille
représente la face
d'un cube.

Sur du papier quadrillé,
produis le plan
à l'échelle.

2 Avec tes géoblocs, construis 2 châteaux à ton goût.
Trace soigneusement les plans à l'échelle. Demande
ensuite à des camarades d'ériger tes châteaux
à partir de tes plans. Si c'est possible, dessine
le tout à l'ordinateur.

Fiche complémentaire *Géométrie* 7

Créativité ou...

Madame Kuhy pose un problème à la classe. Elle est convaincue qu'il n'y a qu'une seule solution.

Quand Caboche résout le problème, l'idée de chercher une deuxième solution lui vient à l'esprit.

 Le problème de madame Kuhy

Tu dois placer douze oeufs, sans les casser, dans trois sacs de papier vides. Chaque sac doit contenir le même nombre d'oeufs que les autres.

Combien y aura-t-il d'oeufs dans chaque sac ?

Caboche annonce qu'il y a au moins trois bonnes réponses possibles. Madame Kuhy élève alors la voix...

La bonne réponse est 4 ! Sois logique...

C'est Caboche qui a raison. À trop vouloir être logique, il arrive que l'on se prive de bien jolies solutions...

 Peux-tu trouver une deuxième bonne réponse au problème posé par madame Kuhy ?

... deuxième bonne réponse !

La créativité se manifeste souvent par la recherche d'une deuxième bonne réponse. Cette recherche est souvent plus facile en équipe. Résous les problèmes suivants.

2 Entoure l'élément qui ne va pas dans chacun des groupes ci-contre :

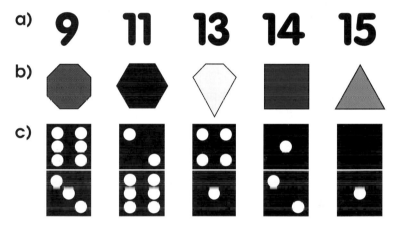

a) **9 11 13 14 15**

b)

c)

3 Deux pères et deux fils sont assis à la cuisine. Ils discutent de leurs vacances. Personne d'autre n'est assis avec eux.

Combien de personnes discutent en ce moment dans cette cuisine ?

4 Le 1er juillet dernier, la température a atteint 30 °C. Le 2 juillet, elle a atteint 32 °C et le 3 juillet, il a fait 34 °C.

Quelle température a-t-il fait le 4 juillet dernier ?

5 Bâtonnets en forme

Avec 12 bâtonnets identiques, reproduis d'abord l'illustration.

a) En retirant quatre bâtonnets, on obtient un seul carré et rien d'autre. Fais des croix sur les bâtonnets à enlever.

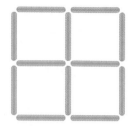

b) En retirant deux bâtonnets, on obtient trois carrés et rien d'autre. Fais des croix sur les bâtonnets à enlever.

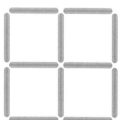

c) En retirant deux bâtonnets, on obtient deux carrés et rien d'autre. Fais des croix sur les bâtonnets à enlever.

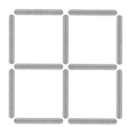

6 Motifs cachés

Chaque petit motif de quatre carrés se retrouve dans le grand dessin de droite. Retrouve chaque motif.

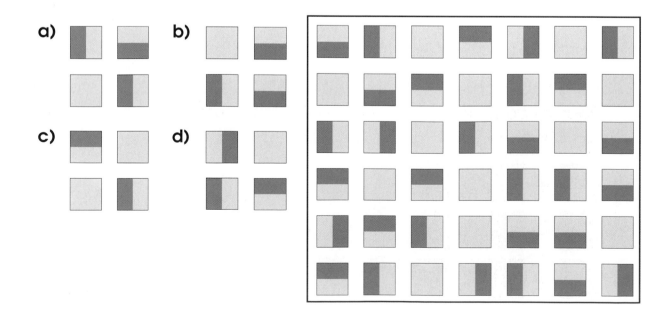

7 **Troublefestin 1**

Troublefête a inventé le mot *tétrode*.
Essaie de découvrir ce dont il est question.

Toutes ces figures sont des *tétrodes*.

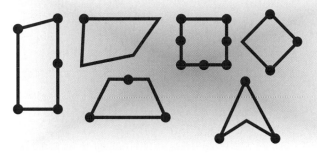

Tétrode ou pas ?

Aucune de ces figures n'est un *tétrode*.

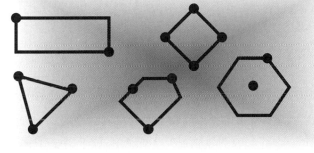

Parmi les figures dessinées à droite,
trouve les *tétrodes*. Que faut-il pour
être un *tétrode* ?

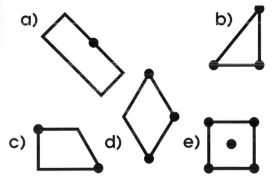

a)   b)   c)   d)   e)

8 **Jongleries 1**

Voici trois phrases mathématiques.
Pour les compléter, utilise une seule
fois chacun des nombres de 1 à 9.

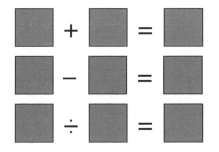

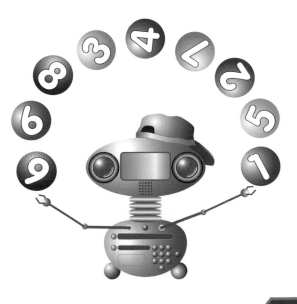

Jeu tac-tique

Voici un jeu de stratégie qui devrait te plaire.

But du jeu

Aligner des jetons de sa couleur sur trois cases successives (colonne, rangée ou diagonale).

Matériel nécessaire

- Grille de jeu de 5 cases sur 4.

- 8 jetons (4 d'une couleur et 4 d'une autre).

Consignes

1. La position de départ est donnée sur l'illustration du haut.

2. Chaque adversaire prend une couleur de jetons.

3. Un tirage au sort détermine qui joue en premier.

4. La joueuse ou le joueur ne peut déplacer qu'un jeton de sa couleur à chaque coup.

5. À tour de rôle, il faut déplacer un jeton jusqu'à ce que trois jetons d'une même couleur soient alignés sur trois cases successives.

6. Les déplacements permis sont d'une seule case à la fois, dans une case voisine (pas de déplacement en diagonale). On peut donc avancer, reculer ou se déplacer de côté. (Voir les exemples ci-dessous.)

7. Un déplacement doit se faire uniquement vers une case inoccupée.

Position de départ

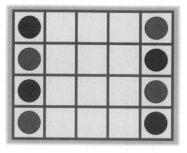

Les bleus gagnent !

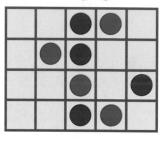

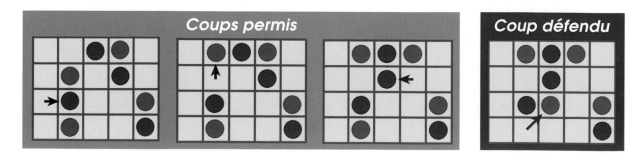

Coups permis · *Coup défendu*

« Votre numéro, S.V.P. » 1

À l'aide des indices, retrouve les chiffres cachés du numéro de téléphone.

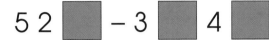

5 2 ▢ – 3 ▢ 4 ▢

- Il y a un 6, mais où ?

- Le troisième chiffre vaut la moitié de 4.

- Il y a un chiffre immédiatement entre deux autres dont il représente la somme.

11 **Jongleries 2**

Place les nombres de 1 à 6 dans un diagramme semblable à celui à droite.

La somme des trois nombres de chacun des cotés doit être la même.

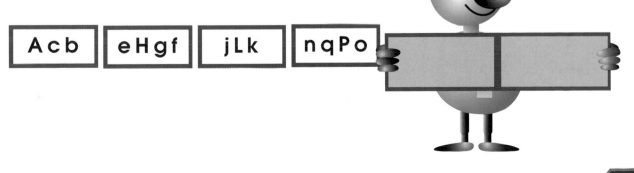

12 **Troublefestin 2**

Troublefête a inventé une suite à partir des lettres de l'alphabet. Observe attentivement les quatre premiers éléments de sa suite.

Trouve les deux éléments suivants.

| A c b | e H g f | j L k | n q P o |

13 **Moutons sur grand bateau**

Sur un navire, on a embarqué
36 moutons, 10 marins et
3 officiers.

Sachant qu'il n'y a aucun
passager à bord, peux-tu dire
l'âge du capitaine de
ce navire ?

14 **Cible de choix**

Si tu lances quatre flèches en direction de cette cible,
plusieurs scores sont possibles. Chaque résultat s'écrit
avec une ou plusieurs phrases mathématiques.
Par exemple :

35 = 10 + 10 + 10 + 5 = 3 x 10 + 5

18 = 10 + 5 + 2 + 1

Par contre, certains scores sont impossibles à obtenir.
C'est le cas de **39**, par exemple.

a) Note tous les résultats
possibles et les phrases
mathématiques qui les
décrivent sur la fiche
complémentaire.

b) Trouve toutes les façons
possibles d'obtenir
un score de 12.

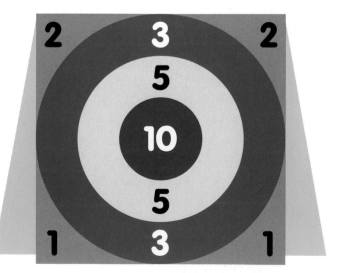

15 Horloge manchote

La vieille horloge de la tour du marché a été endommagée par la grêle. La grande aiguille n'y est plus, mais l'horloge fonctionne toujours... Reproduis chaque horloge. Dessine les deux aiguilles et note l'heure avec le plus de précision possible.

16 Facteurs et multiples

Deux compagnies de livraison doivent distribuer chacune un dépliant publicitaire. Dans la rue des Multiples, les numéros civiques vont de 1 à 50.

Je dépose un dépliant à toutes les deux maisons.

Je dépose un dépliant à toutes les cinq maisons.

a) Compte tenu des directives données aux deux *facteurs*, quels sont les numéros civiques qui recevront les deux dépliants ?

b) Invente un problème semblable en utilisant d'autres facteurs. Quels facteurs as-tu choisis ? Quels sont les multiples communs ? Montre ton problème à quelques camarades et examine leurs problèmes.

20 Pièces mystères

a) Les sommes indiquées peuvent être obtenues aussi bien en réunissant 5 pièces de monnaie, qu'en réunissant 6 pièces. Quelle somme fait exception ?

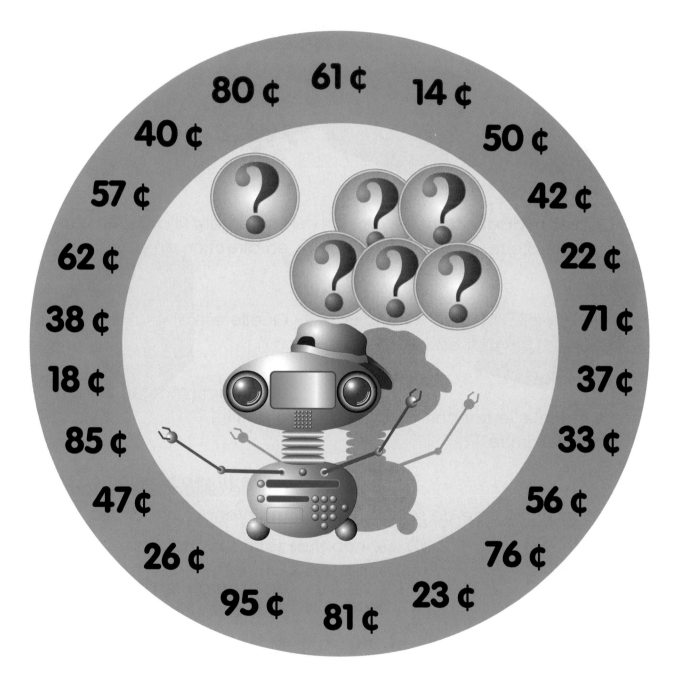

80 ¢ 61 ¢ 14 ¢
40 ¢   50 ¢
57 ¢   42 ¢
62 ¢   22 ¢
38 ¢   71 ¢
18 ¢   37 ¢
85 ¢   33 ¢
47 ¢   56 ¢
26 ¢   76 ¢
95 ¢ 81 ¢ 23 ¢

b) Une seule de ces sommes peut être obtenue de deux façons différentes avec 5 pièces et de deux façons différentes avec 6 pièces. Laquelle ?

15 Horloge manchote

La vieille horloge de la tour du marché a été endommagée par la grêle. La grande aiguille n'y est plus, mais l'horloge fonctionne toujours... Reproduis chaque horloge. Dessine les deux aiguilles et note l'heure avec le plus de précision possible.

| ? ? | ? ? | ? ? | ? ? |

16 Facteurs et multiples

Deux compagnies de livraison doivent distribuer chacune un dépliant publicitaire. Dans la rue des Multiples, les numéros civiques vont de 1 à 50.

Je dépose un dépliant à toutes les deux maisons.

Je dépose un dépliant à toutes les cinq maisons.

a) Compte tenu des directives données aux deux *facteurs*, quels sont les numéros civiques qui recevront les deux dépliants ?

b) Invente un problème semblable en utilisant d'autres facteurs. Quels facteurs as-tu choisis ? Quels sont les multiples communs ? Montre ton problème à quelques camarades et examine leurs problèmes.

17 Figures voilées

Toutes ces figures ont été construites avec un carré,
un rectangle et un triangle. Calque les figures. Trace
ensuite la position de ces formes sur chaque figure.

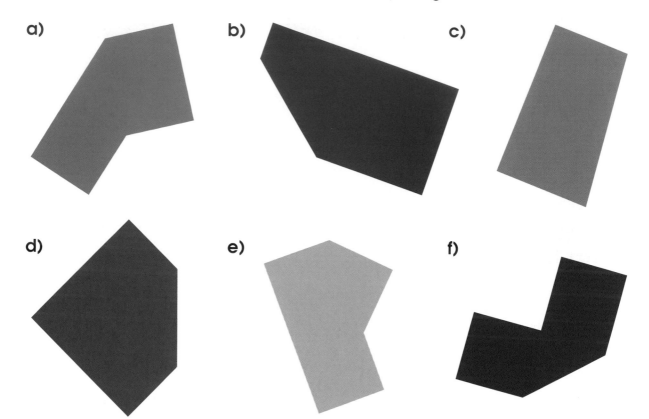

a)

b)

c)

d)

e)

f)

18 Des nombres et des titres

Voici six titres de livres très connus. Quelques lettres et les nombres
apparaissant dans ces titres sont donnés. Chaque astérisque
correspond à une lettre. Trouve chaque titre.

a) Les 101 d ✳ ✳ ✳ ✳ ✳ ✳ ✳ ✳

b) B ✳ ✳ ✳ ✳ ✳ ✳-N ✳ ✳ ✳ et les 7 n ✳ ✳ ✳ ✳

c) T ✳ ✳ ✳ ✳ et les 7 ✳ ✳ ✳ ✳ ✳ ✳ de c ✳ ✳ ✳ ✳ ✳ ✳

d) A ✳ ✳b ✳ ✳ ✳ et les 40 v ✳ ✳ ✳ ✳ ✳ ✳

e) L ✳ ✳ 3 p ✳ ✳ ✳ ✳ ✳ c ✳ ✳ ✳ ✳ ✳ ✳

f) Les 12 t ✳ ✳ ✳ ✳ ✳ ✳ d'A ✳ ✳ ✳ ✳ ✳ ✳

Parmi ces phrases en désordre
se cachent deux jolis problèmes.
Replace les problèmes
en ordre et résous-les.

L'après-midi, elle franchit 7 m
en ligne droite.

Lentement, il parcourt 3 m
en direction nord.

En accélérant le pas, il franchit
ensuite 4 m vers l'est.

Quelle est la hauteur du mur ?

Le matin, elle franchit 10 m
en ligne droite.

Une fourmi marche le long
d'un fil.

À quelle distance de son point
de départ se trouve
maintenant la fourmi ?

Quelle distance le sépare
maintenant de son nid ?

Un escargot quitte son nid
pour un court voyage.

Note ta démarche et la réponse pour chaque problème.

a) Les sommes indiquées peuvent être obtenues aussi bien en réunissant 5 pièces de monnaie, qu'en réunissant 6 pièces. Quelle somme fait exception ?

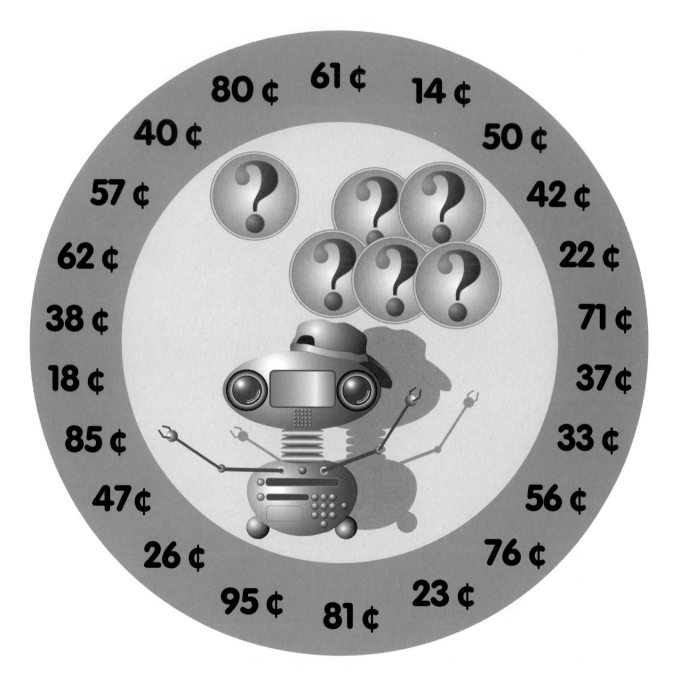

 b) Une seule de ces sommes peut être obtenue de deux façons différentes avec 5 pièces et de deux façons différentes avec 6 pièces. Laquelle ?

21 Troublefestin 3

Troublefête a inventé une suite logique plutôt originale... Trouve le dernier élément.

cheval   chat   éléphant   coq

22 Jongleries 3

Reproduis la grille à droite. Place les chiffres de 1 à 8 dans cette grille.

Ne place pas deux chiffres consécutifs dans des cases qui se touchent.

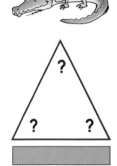

23 « Votre numéro, S.V.P. » 2

À l'aide des indices, retrouve les chiffres cachés du numéro de téléphone.

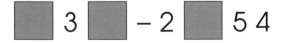

◻ 3 ◻ – 2 ◻ 5 4

- Deux chiffres impairs identiques sont côte à côte.
- Le 7 n'est pas entre deux chiffres placés en ordre croissant.
- Le 0 est entre deux chiffres placés en ordre décroissant.

24 D'un seul trait

Voici des figures appelées *réseaux*.
Il y en a que l'on peut tracer sans lever
le crayon. Utilise les lettres pour décrire
le tracé des figures que tu peux dessiner
d'un seul trait.

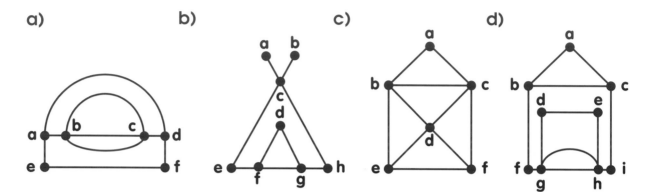

a)   b)   c)   d)

25 Jeu de façades

Voici les façades de deux édifices partiellement cachés
par des arbres. Chaque façade forme un rectangle
composé de fenêtres identiques placées
en rangées et en colonnes.

Découvre combien
chaque façade a
de fenêtres, sachant
qu'il y en a 51
en tout.

26 Bon voisinage

Madame Marchapied se déplace le moins souvent possible avec sa voiture. Ainsi, elle visite toujours ses voisins à vélo, sauf celui d'en face. Pourquoi ?

27 Jongleries 4

Place les nombres de 0 à 9 dans un diagramme semblable à celui de droite.

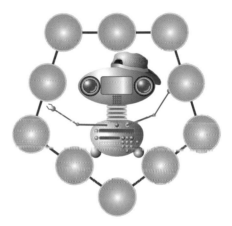

a) La somme des trois nombres de chacun des côtés doit être de 11.

b) La somme des trois nombres de chacun des côtés doit être de 13.

28 « Votre numéro, S.V.P. » 3

À l'aide des indices, retrouve les chiffres effacés du numéro de téléphone.

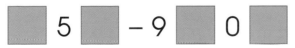

- Deux chiffres qui se suivent ne sont jamais identiques.
- Un seul chiffre du numéro représente un nombre pair.
- Deux chiffres différents apparaissent exactement deux fois.
- Il n'y a pas de 3 et le seul 7 vient juste après le 9.

Carrément mathématique

Voici le plan réduit de quatre arrangements
rectangulaires fabriqués avec des centicubes.
Chaque couleur correspond à une zone
carrée. Note combien il y a de centicubes
dans chaque zone.

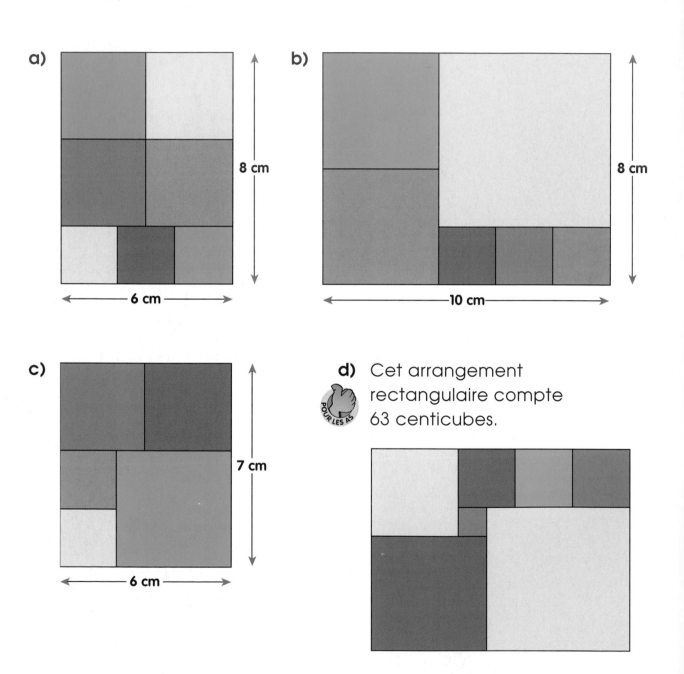

a) 8 cm | 6 cm

b) 8 cm | 10 cm

c) 7 cm | 6 cm

d) Cet arrangement
rectangulaire compte
63 centicubes.

30 Jongleries 5

Reproduis la grille à droite. Place les chiffres de 0 à 9 dans ta grille.

Ne place pas deux chiffres consécutifs dans des cases qui se touchent.

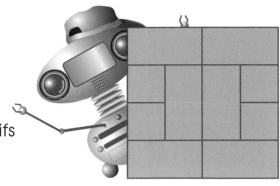

31 Troublefestin 4

Troublefête a inventé une suite de mots imaginaires. Essaie de découvrir les deux mots suivants.

arô, buo, crö, duô, ero, fuö

32 Diagramme à pictogrammes

Madame Dubouquin est libraire. L'écran de son ordinateur affiche certaines données.

a) Que décrit ce diagramme ?

b) Quel a été le meilleur mois ?

c) Combien de livres ont été vendus, jusque-là, par la librairie ?

d) Reproduis et complète le diagramme :

  • juin, 600 livres ;

  • juillet, 900 livres ;

  • août, 1 100 livres.

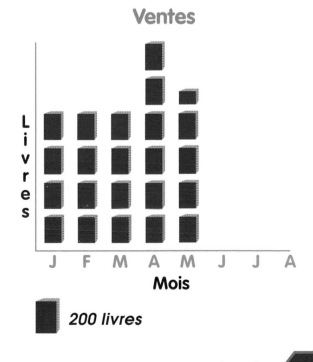

Ventes

Livres

J F M A M J J A

Mois

200 livres

33 Horaire à carreaux

Il a fallu 4 heures pour poser les carreaux sur le plancher rectangulaire illustré ci-contre. Au même rythme, combien de temps faudra-t-il pour achever le travail ?

Note ta démarche et ta réponse.

34 Semis complets

Tu vends des plantes et tu dois fabriquer des boîtes rectangulaires pour tes semis. Les planchettes qui forment les côtés de chaque boîte ont une longueur totale de 20 dm.

a) Dessine les plans d'au moins 5 modèles possibles sur du papier pointé.

b) Quel est le modèle offrant le plus d'espace pour loger des semis ?

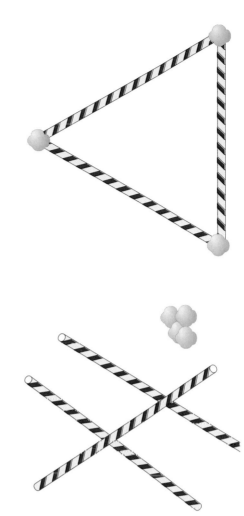

35 Constructions de pailles

Avec des pailles et des boulettes de pâte à modeler, il est facile de fabriquer des triangles. Résous les problèmes suivants sans couper les pailles.

a) Avec six pailles et des boulettes, on peut obtenir six triangles identiques. Montre comment.

b) Avec six pailles et des boulettes, on peut obtenir quatre triangles, tous égaux. Explique comment.

36 Jongleries 6

Reproduis la grille à gauche. Complète ta grille selon les indices :

- chaque rangée contient les chiffres 1 à 5 ;

- chaque colonne contient les chiffres 1 à 5 ;

- chaque diagonale, petite ou grande, contient des chiffres tous différents.

Quand tu auras une solution, colorie ton oeuvre en respectant les couleurs déjà numérotées.

Méli-mélo *plus*

1. Laïka conduit deux chevaux et quatre poules aux champs. Combien cela fait-il de pattes ?

2. Si tu additionnes l'âge de Maria et celui de Marco, tu obtiens le nombre 15. Si tu soustrais l'âge de Maria de celui de Marco, tu obtiens le nombre 9. Quel est l'âge de Maria et celui de Marco ?

3. Il faut 3 oeufs pour faire une omelette. Combien d'omelettes peut-on faire avec 9 douzaines d'oeufs ?

4. Amélie veut acheter une montre qui coûte 145 $. Chaque semaine, elle distribue des dépliants publicitaires et reçoit un salaire de 9 $. Pour différents travaux, elle parvient à économiser environ 1 $ par jour. Dans combien de jours Amélie pourra-t-elle s'offrir la montre qu'elle désire ?

5. Il a fallu 20 heures de travail à 5 personnes pour emballer et expédier 400 colis. Combien d'heures aurait-il fallu à une seule personne pour accomplir ce travail ?

6. Au dépanneur, tu achètes 2 bananes et 3 pots de yogourt. Sur un billet de 5 $, on te remet deux pièces de 1 $, trois pièces de 25 ¢, deux pièces de 5 ¢ et quatre pièces de 1 ¢. Quel est le prix de tes achats ?

7. Dans 7 ans, l'âge de Diego sera un nombre carré. Il y a 8 ans, son âge était également un nombre carré. Quel est l'âge de Diego ?

8. Un kangourou est au pied d'un escalier de 26 marches. En bondissant, il réussit à franchir 4 marches à la fois, au maximum. En combien de bonds va-t-il atteindre le haut de l'escalier ?

9. Un grand verre peut contenir 450 mL de jus. Audrey prépare un mélange fait de 125 mL de jus d'orange et de 240 mL de jus de pamplemousse. Elle ajoute 95 mL de jus de pêche. Explique comment Audrey procède pour que rien ne déborde.

10. En numérotant toutes les pages de son cahier, Julien a écrit exactement 10 fois le chiffre 8. Combien son cahier a-t-il de pages ?

11. Dans un panier, il y a 11 fruits et 2 morceaux de fromage. Si 5 fruits de ce panier sont jaunes, combien de fruits ne sont pas jaunes ?

12. Dans la paire de gants de Yuri, trois doigts sont troués. Combien de doigts des gants de Samuel ne sont pas troués ?

13. Pour entourer un cadre carré, il a fallu 254 cm de moulure métallique. Quelle est la largeur de ce cadre ?

14. Dans le coffre de sa voiture, madame Caisse peut transporter 6 grosses boîtes d'oranges. Combien madame Caisse devra-t-elle faire de voyages si elle doit transporter 40 boîtes d'oranges semblables ?

15. L'autre jour, j'ai vu cinq maisons. Chacune avait cinq balcons. Sur chaque balcon, j'ai vu cinq garçons, chacun d'eux tenant cinq chatons. Combien de chatons tous ces garçons sur les balcons tenaient-ils donc ?

16. Jade a le même âge que Dorina. Nathacha a trois ans de moins que Jade. En additionnant l'âge de ces trois soeurs, on obtient 77. Quel est l'âge de chaque fille ?

17. Combien de jours y a-t-il dans la période allant du 1er mars au 18 juin inclusivement ?

18. Cinq personnes se rencontrent pour un travail d'équipe. Chacune serre la main de tous les autres membres de l'équipe. Combien cela fait-il de poignées de mains en tout ?

19. Pour attacher une chaussure de sport, il faut un lacet mesurant 75 cm. Quelle longueur de lacets faut-il pour attacher 3 paires de chaussures de sport semblables ?

20. Pour faire un oeuf dur, il faut le laisser dans l'eau bouillante pendant 10 minutes. On dépose 4 oeufs dans l'eau bouillante. Dans combien de minutes seront-ils durs ?

21. Il y a 15 élèves de l'école Sourire dans un minibus. Au premier arrêt, la moitié des garçons descendent, de même que 3 filles. Il reste maintenant autant de filles que de garçons. Combien y avait-il de filles dans ce minibus, au début?

22. Deux bâtons placés bout à bout mesurent 85 cm. Un bâton mesure 17 cm de plus que l'autre. Quelle est la longueur de chaque bâton?

23. Combien y a-t-il de nombres impairs entre les nombres 100 et 141?

24. Chaque fois que Sara dépose 25 ¢ dans sa tirelire, son père y dépose 1 $. Combien d'argent Sara a-t-elle déposé dans sa tirelire si celle-ci contient maintenant 10 $?

25. Imagine une feuille de papier journal. Pliée, elle forme 4 pages. Pliée de nouveau, elle comporterait plusieurs pages réduites. Combien de pages minuscules y aurait-il si tu la pliais 7 fois de plus?

26. Un jeu de construction contient un certain nombre de roues. Ce nombre est un multiple de 7 inférieur à 100. Si tu construis des motos avec ces roues, il en reste une. Si tu construis des autos, il en reste une. Si tu construis des tricycles, il en reste une. Combien y a-t-il de roues dans ce jeu de construction?

27. De nouveaux casiers ont été installés à la piscine municipale. Ils sont numérotés en combinant une lettre de A à H avec un chiffre de 0 à 9. Si toutes les combinaisons sont utilisées sauf trois, combien y a-t-il de casiers à la piscine municipale?

28. Dans 10 ans, Ken aura le double de l'âge qu'il avait il y a 10 ans. Quel âge aura Ken dans 5 ans?

29. La somme de cinq nombres consécutifs est 555. Quels sont ces nombres?

30. Le produit de trois nombres consécutifs est 720. Quels sont ces nombres?

Les personnages en action

Problème : Comment trouver la hauteur d'un arbre ?

Caboche
Je fais comme si...
Je cherche à quoi ça sert.

Je pense qu'en comparant la longueur de son ombre à la mienne...

J'associe.
J'imagine.
J'invente.
Je découvre.

Troublefête
Je raisonne.
Je me concentre.

Je vérifie si les objets les plus hauts possèdent les ombres les plus longues.

Je démontre.
Je vérifie.
J'explique.

Papyrus
Je lis et j'écris.

L'unité de mesure utilisée est le mètre et son symbole est m.

J'utilise les bons termes et les bons symboles.

D3D4
Je suis précis et rapide.
Je me souviens.

Je mesure la hauteur de ces objets et la longueur de leur ombre.

Bonjour ! Mon nom est D3D4

Je mesure.
Je dessine.

2 + 2 = 4

Je calcule.
Je mémorise.